J.-F. Mallet

SIMPLISSIME

LE LIVRE
DE DESSERTS
LE + FACILE
DU MONDE

hachette
CUISINE

Cet ouvrage n'est pas un livre sur la pâtisserie mais plutôt un recueil de recettes de desserts ultra faciles, savoureuses et variées pour finir sur une note sucrée et pour épater vos invités jusqu'au café. Il vient en réponse à une remarque de mes amis au sujet du manque de desserts dans les deux premiers volumes de cette collection.

Vous trouverez dans ce troisième livre quelque 130 recettes de desserts de cuisinier, loin des clichés de la grande pâtisserie traditionnelle. Il y en a pour tous les goûts et pour toutes les saisons : des tartes, des gâteaux, des crèmes, des mousses, des recettes à base de chocolat sans oublier des trouvailles plus légères avec des fruits. Vous apprendrez à préparer des mignardises originales mais aussi à faire des glaces et des sorbets sans sorbetière. Fidèles à la méthode, les recettes sont toujours simplissimes. Elles utilisent 3 à 6 ingrédients maxi et sont rédigées en 5 ou 6 lignes. Ce livre est fait pour ceux qui ne sont pas doués en pâtisserie. Si vous n'avez pas de robot pâtissier, pas de souci, un simple fouet électrique et quelques moules à tarte feront l'affaire.

Dans cet ouvrage, je vous livre aussi quelques astuces acquises dans les grands restaurants. Comment faire grimper un soufflé, aérer les mousses et crèmes, comment réaliser des pâtes à tarte maison à partir de biscuits du commerce. Il ne me reste plus qu'à vous souhaiter de très beaux moments en cuisine. Vous prendrez bien un petit dessert, non ?

MODE D'EMPLOI

Pour ce livre, je pars du principe que vous avez chez vous :
- L'eau courante
- Une cuisinière
- Un réfrigérateur
- Une casserole
- Un moule à manqué
- Un moule à tarte
- Un couteau (bien aiguisé)

(Si ce n'est pas le cas c'est peut-être le moment d'investir !)

Quels ingrédients sont indispensables ?

- **L'épicerie de base :** de la farine, du sucre en poudre, de la levure en sachets, de la poudre d'amandes, du sucre glace, du chocolat noir, quelques pots de confiture et quelques paquets de biscuits du commerce (bicuits à la cuillère, palets bretons, amarettis, meringues et spéculoos) qui vous serviront pour préparer des pâtes maison ou pour donner du croquant en les saupoudrant sur vos desserts.
- **Les fruits :** privilégiez les fruits frais et de saison de préférence et si vous avez une envie de cerises ou d'abricots en plein mois de décembre, rabattez-vous sur leur version surgelée.
- **Les herbes fraîches :** les herbes fraîches n'ont pas leur égal pour donner du peps à un dessert, ce sont elles qu'il faut privilégier ! En cas de grosse panne, vous pouvez toujours utiliser la version surgelée mais c'est moins bon.

Quels gestes adopter ?

- **Cuire au bain-marie :** cette technique permet de faire fondre ou cuire un aliment sans le brûler. Placez le récipient ou la casserole dans lequel se trouve la préparation dans un autre plus grand contenant de l'eau en ébullition. Cette technique est idéale pour faire fondre le chocolat mais pour les plus pressés, vous pouvez aussi le faire fondre au micro-ondes en y ajoutant quelques gouttes d'eau.
- **Monter les blancs d'œufs en neige :** ajoutez une pincée de sel aux blancs d'œufs et utilisez un batteur électrique en faisant monter progressivement la puissance. Battez les blancs toujours dans le même sens pour ne pas les casser.
- **Monter la crème en chantilly :** pour y parvenir, la crème et le bol doivent être très froids (placez le bol au congélateur quelques minutes juste avant). Utilisez un batteur électrique et surtout un détail prenez uniquement de la crème Fleurette ou de la crème liquide entière, la chantilly ne montera jamais avec une crème liquide allégée en matière grasse...

- **Peler un agrume à vif :** retirez avec un couteau l'écorce et les peaux blanches. Coupez les deux extrémités de l'agrumes et ôtez petit à petit l'écorce au couteau en faisant glisser la lame entre l'écorce et le fruit, du haut vers le bas.
- **Lever les segments (ou suprêmes) d'un agrume :** une fois l'agrume pelé à vif, séparez les segments des membranes à l'aide d'un couteau bien aiguisé en glissant la lame entre le suprême et la membrane. Pressez la membrane restante au-dessus d'un bol pour récupérer le jus.
- **Réduire :** diminuer le niveau d'un jus par évaporation (sans couvrir donc…), en le maintenant à ébullition. Ce procédé permet de concentrer les saveurs et d'obtenir davantage d'onctuosité.
- **Faire un sirop :** faire réduire un liquide (eau, jus de fruits, rhum, vin…) additionné de sucre.
- **Ramollir de la glace :** quand la glace est trop dure, passez-la quelques secondes au micro-ondes et hop, faites de belles boules et dégustez-la à la bonne température.
- **Zester un citron :** il existe 3 façons de zester un citron.
Pour les débutants et pour obtenir un zeste très fin, utilisez une râpe à fromage sur la peau du citron, en passant une seule fois par zone sans atteindre la peau blanche.
Pour les pros et pour obtenir des zestes qui ressemblent à des vermicelles, utilisez un zesteur.
Pour les débrouillards et pour obtenir des sortes de copeaux, utilisez un économe.

Quels ustensiles choisir ?

- **Le batteur électrique :** avec ses fouets, il est parfait pour monter les blancs en neige ou la crème en chantilly. On peut aussi le remplacer par un fouet à main et de l'huile de coude !
- **Le mixeur plongeant :** appelé aussi mixeur girafe, il s'utilise pour mixer des préparations liquides (soupe de fruits, smoothies, milk-shake…). Très pratique, peu cher, peu encombrant et en plus avec lui peu de vaisselle car il s'utilise directement dans la préparation à mixer sans avoir à la transvaser dans un bol.
- **Le blender :** plus cher et plus encombrant que le mixeur plongeant mais plus de velouté et d'onctuosité mais aussi plus de vaisselle car il faut transvaser le liquide à mixer dans le bol.
- **Le robot multifonctions :** comme son nom l'indique, c'est un robot multi-usages.
Il possède divers outils tels qu'une lame, un fouet, un émisceur, un hachoir ou émulsionneur.

Quel thermostat ?

90 °C : th. 3	150 °C : th. 5	210 °C : th. 7	270 °C : th. 9
120 °C : th. 4	180 °C : th. 6	240 °C : th. 8	300 °C : th. 10

C'est tout.
Pour le reste, il n'y a qu'à suivre la recette !

LA PÂTE SUCRÉE

Farine
250 g

Jaune d'œuf
x 1 (facultatif)

Beurre
125 g

Sucre en poudre
50 g

Pour 1 pâton

🧂 **1 pincée de sel**

⏱

Préparation : 15 min
Repos : 30 min

• Préparez cette pâte
la veille et sortez-la
à l'avance pour l'étaler.

• Faites fondre le **sel** dans 5 cl d'eau tiède. Creusez un puits dans la **farine** tamisée, ajoutez le **beurre** coupé en morceaux et mélangez du bout des doigts.

• Refaites un puits, ajoutez l'**eau**, le **sucre** et le jaune d'**œuf**, malaxez puis fraisez la pâte en l'écrasant avec la paume de la main pour bien incorporer le **beurre**. Enveloppez-la dans un film et laissez reposer au frais 30 min avant de l'utiliser.

LA PÂTE SABLÉE

Farine
250 g

Jaune d'œuf
x 1

Beurre mou
125 g

Sucre glace
100 g

Pour 1 pâton

Préparation : 15 min
Repos : 1 h
• Cette pâte peut être parfumée avec de la vanille ou des zestes de citron.

• Creusez un puits dans la **farine** tamisée, ajoutez le **beurre mou** et le **sucre glace** au centre. Malaxez l'ensemble du bout des doigts puis ajoutez le jaune d'**œuf** et malaxez de nouveau pour obtenir une pâte sableuse et homogène. Faites une boule, enveloppez-la dans du film et réservez minimum 1 h au frais avant utilisation.

LA PÂTE FEUILLETÉE ULTRA FACILE

Petits-suisses
x 3

Farine
180 g

Beurre mou
90 g

Pour 1 pâton

🧂 **1 pincée de sel**

⏲ **Préparation : 20 min**
Repos : 2 h + 20 min

• Mélangez tous les ingrédients en les malaxant avec les doigts. Étalez un gros rectangle de pâte, filmez-le et laissez reposer 2 h au frais.

• Vous pouvez l'utiliser ainsi mais pour renforcer le feuilletage faites 4 tours : étalez la pâte en rectangle, pliez-le en 3 et faites ¼ de tour. Répétez l'opération 3 fois. Laissez reposer 20 min au frais.

LA "CHANTILLY" À PRÉPARER À L'AVANCE

Crème fleurette
33 cl

Mascarpone
50 g

Préparation : 5 min

• Vous pouvez y ajouter du sucre glace, des zestes de citron, des herbes hachées ou du cacao. Redonnez quelques tours de fouet pour mélanger.

• Placez la **crème** et le **mascarpone** au frais.

• Mélangez la **crème** et le **mascarpone** bien frais dans un saladier en inox (ou la cuve d'un robot). Fouettez l'ensemble en chantilly avec un fouet électrique.

• Réservez la crème dans un récipient fermé ou dans une poche maximum 2 h au frais.

LE LEMON CURD (CRÈME AU CITRON)

Œufs
x 3

Citrons
x 3

Beurre
120 g

Sucre en poudre
130 g

Préparation : 5 min
Cuisson : 8 min
Réfrigération : 4 h

- Fouettez les **œufs** et le sucre dans un saladier.
- Râpez le zeste et pressez les **citrons**, puis ajoutez le jus et les zestes avec les **œufs** et le **sucre** dans une casserole.
- Faites épaissir environ 8 min à feu très doux en remuant et ajoutez le beurre en morceaux en fin de cuisson en fouettant. Laissez prendre 4 h au réfrigérateur.

TARTE À L'ORANGE SANGUINE

Pâte feuilletée
1 rouleau (ou 1 pâton)

Oranges sanguines
x 3

Marmelade d'oranges
4 cuil. à soupe

 Sucre glace

Préparation : 10 min
Cuisson : 30 min

- Préchauffez le four à 200°C.
- Découpez les **oranges sanguines** en tranches très fines avec un couteau bien aiguisé.
- Étalez la **pâte feuilletée** sur une plaque recouverte de papier cuisson. Badigeonnez la pâte avec la **marmelade** et disposez les tranches d'**orange** dessus. Poudrez de **sucre glace**. Enfournez 30 min.

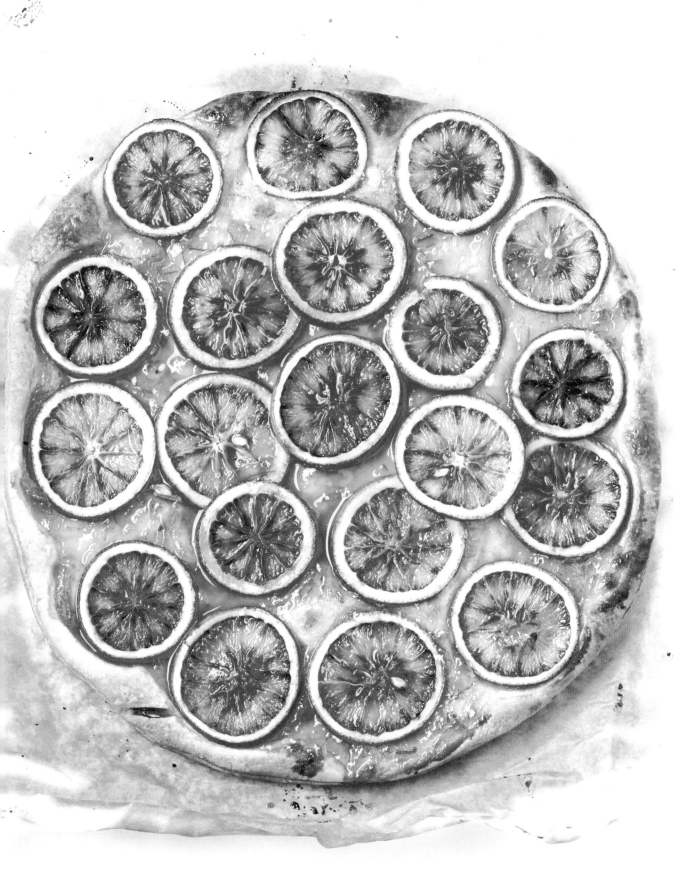

TARTELETTES AUX MYRTILLES

Myrtilles
3 barquettes (3 x 125 g)

Beurre
60 g

Spéculoos
125 g

Crème fleurette
25 cl

👤👤👤👤

🧂 Sucre glace

🕐
Préparation : 10 min
Cuisson : 10 min

• Préchauffez le four à 180°C.
• Écrasez les **spéculoos** et mélangez-les avec le **beurre** fondu puis tassez au fond de 4 moules recouverts de papier cuisson. Répartissez la moitié des **myrtilles** puis enfournez 10 min. Laissez refroidir. Fouettez la **crème** en chantilly. Au moment de déguster, ajoutez la crème et le reste des **myrtilles**. Poudrez de **sucre glace**.

TARTE SABLÉE À LA CERISE

Pâte sablée
1 rouleau (ou 1 pâton)

Cerises griottes
600 g (fraîches ou surgelées)

Confiture de cerises
3 cuil. à soupe

Préparation : 5 min
Cuisson : 45 min

- Préchauffez le four à 180°C.
- Dénoyautez les **cerises**. Étalez la **pâte** sur une plaque recouverte de papier sulfurisé. Étalez la **confiture** et ajoutez les **cerises** sur la **pâte**, rabattez les bords et enfournez 45 min.
- Dégustez la tarte tiède ou froide accompagnée d'une glace.

TARTELETTES ABRICOTS ET AMANDES

Abricots
x 4

Pâte brisée
1 rouleau (ou 1 pâton)

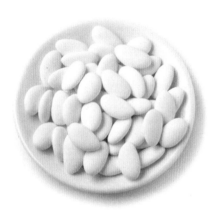

Dragées
x 20

Préparation : 15 min
Cuisson : 35 min
• Dégustez les tartelettes chaudes ou froides avec une glace au lait d'amande.

• Préchauffez le four à 180°C. Concassez les **dragées**. Découpez 8 disques de **pâte** de 8 cm de diamètre et disposez-les sur une plaque recouverte de papier sulfurisé.

• Coupez les **abricots** en tranches et répartissez-les sur les disques de **pâte**. Enfournez 30 min. Saupoudrez de **dragées** concassées et enfournez 5 min de plus.

TARTE MI-FIGUE MI-RAISIN

Figues
x 10

Beurre
125 g

Raisins secs
5 cuil. à soupe

Petits-beurre
250 g

Rhum
5 cuil. à soupe

👥👥👥👥/👥👥

Sucre glace

⏱

Préparation : 20 min
Cuisson : 25 min

• Préchauffez le four à 180°C. Mettez les **raisins** à tremper dans le **rhum**.

• Écrasez les **biscuits** et mélangez-les avec le **beurre** fondu. Déposez la pâte en la tassant dans un moule à tarte recouvert de papier cuisson. Disposez les **figues** entières, ajoutez le **rhum** et les **raisins** et enfournez 25 min. Laissez refroidir, poudrez de **sucre glace** et dégustez.

TARTE PUDDING AUX FRUITS ROUGES

Poudre d'amandes
125 g

Fruits rouges
400 g

Farine
125 g

Beurre mou
200 g

Sucre en poudre
125 g

 Sucre glace

Préparation : 10 min
Cuisson : 30 min

- Préchauffez le four à 200°C.
- Mélangez la **farine**, le **beurre mou**, le **sucre** et la **poudre d'amandes** pour obtenir une pâte homogène. Ajoutez les **fruits rouges** en morceaux et mélangez.
- Placez l'ensemble dans un plat à tarte recouvert de papier cuisson. Tassez puis enfournez 30 min.
- Laissez refroidir et poudrez de **sucre glace**.

TARTELETTES POIRES-AMARETTIS

Sablés bretons
125 g

Poires
x 2 (grosses)

Beurre
60 g

Miel liquide
2 cuil. à soupe

Amarettis
x 4

Préparation : 15 min
Cuisson : 25 min

- Préchauffez le four à 180°C.
- Écrasez les **sablés**. Mélangez-les avec le **beurre** fondu puis tassez au fond de 4 moules recouverts de papier cuisson. Répartissez les **poires** épluchées et coupées en lamelles puis enfournez 25 min. Ajoutez le **miel** sur les tartes chaudes. Laissez refroidir et saupoudrez d'**amarettis** concassés.

TARTE MOELLEUSE AU CHOCOLAT

Chocolat noir
200 g

Beurre
125 g

Œufs
x 6

Sucre en poudre
2 cuil. à soupe

Sablés au chocolat
250 g

 Sucre glace

Préparation : 15 min
Cuisson : 20 min
• Poudrez de sucre glace.

• Préchauffez le four à 180°C.

• Mélangez les **sablés** écrasés avec le **beurre** fondu et tassez au fond du moule.

• Séparez les blancs des jaunes d'**œufs**. Mélangez le **chocolat** fondu avec les jaunes. Montez les blancs en neige, ajoutez le **sucre** et fouettez 5 s. Incorporez-les au chocolat fondu. Versez la mousse sur la pâte, enfournez 18 min et laissez refroidir.

TARTELETTES FINES À LA CLÉMENTINE

Clémentines
x 4

Pâte feuilletée
1 rouleau (ou 1 pâton)

Lemon curd
4 cuil. à soupe

 Sucre glace

Préparation : 10 min
Cuisson : 25 min
• Dégustez chaud ou froid avec de la glace.

• Préchauffez le four à 180°C.
• Découpez 4 morceaux de **pâte** et placez-les sur une plaque recouverte de papier cuisson.
• Coupez les **clémentines** en très fines tranches puis découpez les tranches en 2. Étalez 1 cuil. à soupe de **lemon curd** sur chaque disque, ajoutez les **clémentines** puis enfournez 25 min. Poudrez de **sucre glace**.

TARTELETTES CITRON-GROSEILLES

Groseilles
12 grappes

Beurre
90 g

Spéculoos
180 g

Lemon curd
6 cuil à soupe

Préparation : 10 min
Cuisson : 15 min

• Préchauffez le four à 180°C.
• Écrasez les **spéculoos** et mélangez-les avec le **beurre** fondu puis tassez au fond de 4 moules recouverts de papier cuisson.
• Répartissez le **lemon curd** sur la pâte et enfournez 15 min. Égrainez les **groseilles**. Laissez refroidir les fonds de tarte, répartissez les **groseilles** et dégustez.

TARTE AUX POMMES RÂPÉES

Pâte feuilletée
1 rouleau (ou 1 pâton)

Pommes
x 4

Sucre en poudre
6 cuil. à soupe

Beurre
80 g

Sucre glace

Préparation : 10 min
Cuisson : 25 min

- Préchauffez le four à 180°C.
- Étalez la **pâte feuilletée** sur une plaque en laissant le papier cuisson.
- Épluchez et râpez les **pommes**, puis disposez-les sur la **pâte**. Rabattez les côtés de la pâte pour former un bord. Saupoudrez de **sucre**, ajoutez des morceaux de **beurre** et enfournez 25 min. Laissez tiédir et poudrez de **sucre glace**.

TARTE À LA MIRABELLE

Mirabelles
400 g (fraîches ou surgelées)

Beurre
90 g

Spéculoos
180 g

Alcool de mirabelle
3 cl

👤👤👤👤

🧂 Sucre glace

🕐

Préparation : 15 min
Cuisson : 25 min
Macération : 10 min

- Préchauffez le four à 180°C.
- Dénoyautez les **mirabelles** et mettez-les à tremper 10 min dans l'**alcool de mirabelle**.
- Écrasez les **spéculoos** et mélangez-les avec le **beurre** fondu puis tassez au fond d'un moule à tarte recouvert de papier cuisson. Répartissez les **mirabelles** sur la pâte et enfournez 25 min. Laissez refroidir et poudrez de **sucre glace**.

PALMIERS VANILLE-FRAMBOISE

Palmiers
x 12

Framboises
x 36

Vanille
2 gousses

Menthe
2 brins

Crème fleurette
25 cl

4/2

Sucre glace

Préparation : 10 min

- Ouvrez et grattez les **gousses de vanille**. Mélangez la **crème** bien fraîche avec les graines de **vanille.**
- Au moment de déguster, fouettez la **crème** en chantilly avec un fouet électrique. Répartissez la crème avec une poche ou une cuillère sur les **palmiers**, ajoutez les **framboises** et les feuilles de **menthe**. Poudrez de **sucre glace** et dégustez.

TATIN DE POMMES AU MIEL

Pâte feuilletée
1 rouleau (ou 1 pâton)

Pommes
x 8

Beurre
70 g

Miel
6 cuil. à soupe

Préparation : 15 min
Cuisson : 1 h 05
• Dégustez tiède avec une glace à la vanille.

• Préchauffez le four à 180°C.
• Épluchez et découpez les **pommes** en 4. Saisissez-les 5 min avec le **beurre** et le **miel**.
• Versez les **pommes** dans un plat à bords hauts, tassez bien. Laissez refroidir puis recouvrez de **pâte feuilletée**. Glissez la pâte le long des **pommes** et piquez-la avec une fourchette. Enfournez 1 h. Démoulez la tarte encore chaude.

TARTE AUX FRUITS AU SIROP

Farine
60 g

Fruits au sirop
1 boîte (500 g égouttés)

Sucre en poudre
100 g

Jaunes d'œufs
x 5

Lait
½ l

Pâte feuilletée
1 rouleau (ou 1 pâton)

  **Noix de coco râpée**

⏱

Préparation : 10 min
Cuisson : 40 min
• Dégustez froid saupoudré de noix de coco râpée.

• Préchauffez le four à 180°C.
• Fouettez les **jaunes** et le **sucre** jusqu'à ce qu'ils blanchissent, ajoutez la **farine** et mélangez.
• Versez le **lait** bouillant sur le mélange en fouettant puis faites cuire en fouettant jusqu'à ce que la **crème** épaississe. Étalez la **pâte** sur un papier cuisson. Rabattez les côtés, étalez la crème, ajoutez les **fruits** et enfournez 30 min.

TARTE TATIN À LA FIGUE

Pâte feuilletée
1 rouleau (ou 1 pâton)

Figues
x 8

Sirop de grenadine
5 cuil. à soupe

Préparation : 10 min
Cuisson : 45 min

• Préchauffez le four à 180°C.

• Versez la **grenadine** au fond d'un moule à manqué. Ajoutez les **figues** entières puis recouvrez avec la **pâte** en la glissant jusqu'au fond le long du bord. Enfournez 45 min.

• Démoulez la tarte chaude sur un plat et dégustez chaud ou froid avec une glace.

GÂTEAU PLAT POMMES-AMANDES

Pommes
x 4

Dragées
x 10

Poudre d'amandes
100 g

Farine
100 g

Beurre mou
175 g

Sucre en poudre
100 g

Préparation : 15 min
Cuisson : 25 min
• Dégustez tiède ou froid.

• Préchauffez le four à 200°C.
• Mélangez la **farine**, le **beurre mou**, le **sucre** et la **poudre d'amandes** pour obtenir une pâte homogène. Mélangez les **pommes** coupées en cubes avec la pâte et placez l'ensemble dans un moule à tarte recouvert de papier cuisson. Tassez puis enfournez 20 min. Saupoudrez de **dragées** concassées et laissez cuire 5 min de plus.

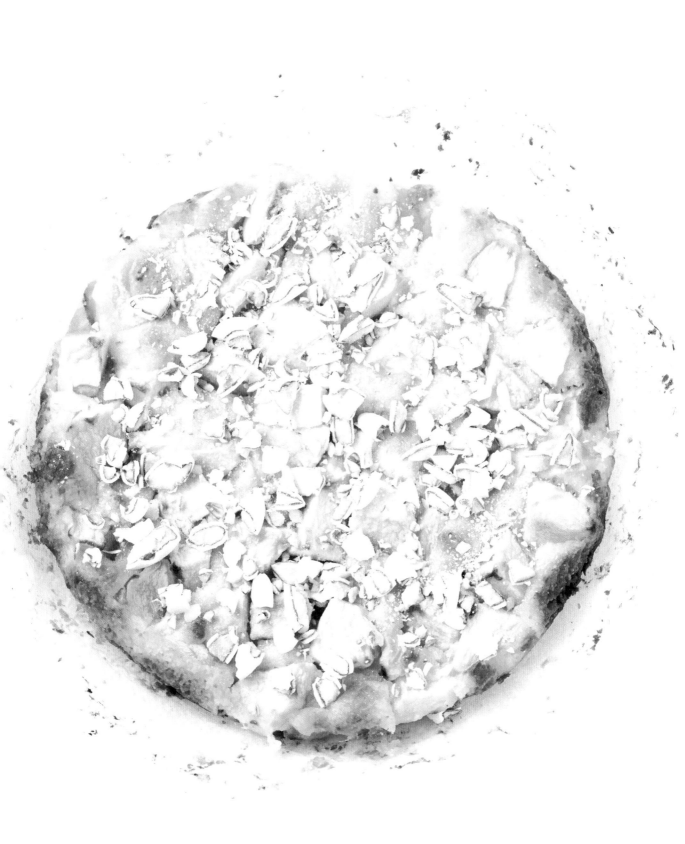

FEUILLETÉS POMMES-CARAMEL

Pâte feuilletée
1 rouleau (ou 1 pâton)

Pommes
x 4

Beurre
80 g

Bonbons caramels
x 8 (au beurre salé)

Préparation : 10 min
Cuisson : 25 min
• Dégustez chaud
avec de la glace
au caramel.

• Préchauffez le four à 180°C.
• Étalez la **pâte feuilletée** sur une plaque
en laissant le papier cuisson et découpez-la en 4.
• Épluchez et coupez les **pommes** en cubes, puis
disposez-les sur les **pâtes**. Rabattez les côtés pour
former un bord, ajoutez des morceaux de **beurre**
et enfournez 15 min. Répartissez les morceaux
de **caramel** et enfournez 10 min de plus.

TARTE NECTARINES ET CRÈME D'AMANDE

Pâte feuilletée
1 rouleau (ou 1 pâton)

Nectarines
x 4

Amandes effilées
100 g

Œufs
x 3

Sucre en poudre
100 g

Beurre
60 g

 **Sucre glace**

Préparation : 15 min
Cuisson : 30 min
• Poudrez de sucre glace
une fois refroidie.

• Préchauffez le four à 180°C.

• Fouettez le **sucre** avec les **œufs** jusqu'à ce qu'ils blanchissent. Ajoutez ¾ des **amandes** et le **beurre** fondu et mélangez. Étalez la **pâte** sur une plaque. Rabattez les côtés pour former un bord. Étalez la crème d'amande, ajoutez les **nectarines** en morceaux avec la peau, saupoudrez du reste des **amandes** et enfournez 30 min.

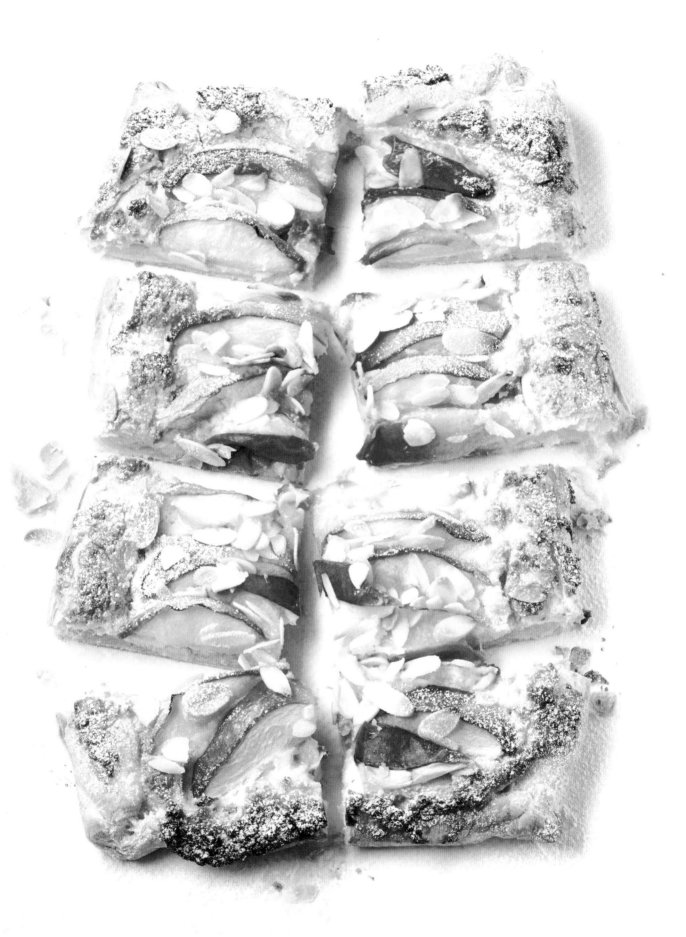

TARTE POMMES, CASSIS ET MYRTILLES

Spéculoos
250 g

Pommes
x 4

Beurre
120 g

Confiture de cassis
4 cuil. à soupe

Myrtilles
1 barquette (125 g)

Préparation : 15 min
Cuisson : 30 min
• Laissez refroidir
et dégustez avec
une glace à la vanille.

• Préchauffez le four à 180°C.

• Écrasez les **spéculoos** et mélangez-les avec le **beurre** fondu.

• Étalez la pâte dans un moule à tarte recouvert de papier cuisson. Ajoutez la **confiture** puis une bonne épaisseur de **pommes** coupées en fines lamelles mélangées aux **myrtilles**. Enfournez 30 min.

TARTE CRUMBLE AUX CERISES

Pâte sablée
1 rouleau (ou 1 pâton)

Cerises griottes
400 g (fraîches ou surgelées)

Sucre en poudre
35 g

Farine
50 g

Beurre
50 g

Préparation : 10 min
Cuisson : 35 min

• Dégustez tiède ou froid avec de la crème fouettée ou de la glace.

• Préchauffez le four à 180°C.

• Mélangez du bout des doigts le **beurre**, la **farine** et le **sucre** pour obtenir une consistance sableuse.

• Étalez la pâte sablée dans un moule à tarte recouvert de papier cuisson. Disposez les **cerises** dans le fond, recouvrez du crumble et enfournez 35 min.

TARTE RENVERSÉE POIRES-AMANDES

Poires
x 8 (moyennes)

Pâte brisée
1 rouleau (ou 1 pâton)

Amandes effilées
2 cuil. à soupe

Beurre
50 g

Sucre en poudre
2 cuil. à soupe

Préparation : 15 min
Cuisson : 1 h 30
• Dégustez chaud, tiède ou froid.

• Préchauffez le four à 170°C.

• Mettez le **beurre** coupé en morceaux, le **sucre** et les **amandes** au fond d'un moule à manqué.

• Ajoutez les **poires** épluchées et coupées en 2 en tassant bien puis recouvrez avec la **pâte brisée** en la glissant délicatement le long de la paroi du moule. Enfournez 1 h 30.

• Démoulez la tarte chaude sur une assiette.

TARTE AU PAMPLEMOUSSE ET À LA MENTHE

Pamplemousses roses
x 4

Sucre en poudre
2 cuil. à soupe

Petits-beurre
250 g

Beurre
125 g

Menthe
1 botte

Ricotta
250 g

Préparation : 20 min
Cuisson : 15 min
• Parsemez de menthe hachée.

• Préchauffez le four à 180°C. Zestez et pelez à vif 3 **pamplemousses**. Pressez le dernier. Faites réduire au ¾ le jus, avec le **sucre** et les zestes.

• Mélangez les **biscuits** écrasés avec le **beurre** fondu et la moitié de la **menthe** hachée et tassez au fond du moule. Faites cuire 15 min et laissez refroidir. Mélangez le sirop et la **ricotta**, étalez sur le fond de pâte et dressez le pamplemousse.

AMANDINE CROUSTILLANTE À L'ABRICOT

Feuilles de brick
x 3

Abricots
x 4

Poudre d'amandes
100 g

Sucre en poudre
100 g

Beurre
90 g

Œufs
x 3

 Sucre glace

Préparation : 20 min
Cuisson : 30 min
• Dégustez tiède ou froid.

• Préchauffez le four à 180°C.

• Fouettez le **sucre** avec les **œufs** jusqu'à ce qu'ils blanchissent. Ajoutez la **poudre d'amandes** et 60 g de **beurre** fondu et mélangez. Coupez les **abricots** en 4. Badigeonnez les **feuilles de brick** avec 30 g de **beurre** fondu, superposez-les dans un moule à manqué. Ajoutez la crème d'amande et les **abricots**. Enfournez 30 min.

TARTE AUX FRUITS ROUGES

Citrons
x 2 (bio de préférence)

Fruits rouges
500 g

Mascarpone
50 g

Crème fleurette
33 cl

Sablés bretons
125 g

Beurre
60 g

 Sucre glace

Préparation : 10 min
Cuisson : 20 min
• Poudrez de sucre glace et dégustez.

• Préchauffez le four à 180°C.

• Écrasez les **sablés** et mélangez-les avec le **beurre** fondu puis tassez au fond d'un moule à tarte recouvert de papier cuisson. Enfournez 20 min. Laissez refroidir.

• Fouettez doucement la **crème** et le **mascarpone** en chantilly. Garnissez la **pâte** avec la crème, les **fruits rouges** et les zestes de **citron**.

TARTE AU CITRON MERINGUÉE

Lemon curd
4 cuil. à soupe

Œufs
x 3

Beurre
75 g

Palets bretons
150 g

Meringues
x 8 (petites)

 Sucre glace

⏱

Préparation : 15 min
Cuisson : 25 min
• Ajoutez les meringues émiettées et dégustez.

• Préchauffez le four à 180°C.
• Écrasez les **palets** et mélangez-les avec le **beurre** fondu puis tassez au fond d'un moule recouvert de papier cuisson. Mélangez les jaunes d'**œufs** avec le **lemon curd**. Fouettez les blancs en neige. Incorporez délicatement les blancs en neige dans le mélange jaunes/lemon curd. Versez sur la pâte et enfournez 25 min. Laissez refroidir.

SUPER GÂTEAU AU CHOCOLAT

Chocolat noir
200 g + 4 carrés

Beurre
200 g

Sucre en poudre
200 g

Œufs
x 6

Farine
10 g

Préparation : 15 min
Cuisson : 40 min

• Démoulez le gâteau à chaud, laissez tiédir, décorez avec des copeaux de chocolat et dégustez tiède ou froid.

• Préchauffez le four à 160°C.

• Séparez les blancs des jaunes d'**œufs**. Fouettez la moitié du **sucre** avec les **jaunes**, ajoutez la **farine**. Faites fondre le **chocolat** avec le **beurre** et mélangez-le avec les **jaunes**. Fouettez les **blancs** en neige, ajoutez le reste du **sucre**, fouettez 5 s de plus et incorporez-les au chocolat. Versez dans un moule beurré et enfournez 40 min.

TARTE AUX FRAISES À LA CRÈME

Fraises
2 barquettes (2 x 250 g)

Beurre
60 g

Spéculoos
125 g

Crème fleurette
33 cl

Estragon
1 brin

Mascarpone
50 g

Sucre glace

Préparation : 10 min
Cuisson : 10 min
• Poudrez de sucre glace et dégustez.

• Préchauffez le four à 180°C.
• Écrasez les **spéculoos** et mélangez-les avec le **beurre** fondu puis tassez au fond d'un moule recouvert de papier cuisson. Enfournez 10 min. Laissez refroidir.
• Fouettez doucement la **crème**, l'**estragon** haché et le **mascarpone**. Garnissez la pâte avec la crème et les **fraises** coupées en 2.

MOELLEUX À LA CLÉMENTINE

Clémentines
x 7

Farine
180 g

Beurre mou
200 g + 20 g pour le moule

Levure
1 sachet

Œufs
x 3

Sucre glace
150 g

 **Sucre glace**

Préparation : 15 min
Cuisson : 30 min

• Démoulez chaud
et dégustez chaud
ou froid.

• Préchauffez le four à 180°C.

• Mélangez le **beurre mou** avec le jus et les zestes de 4 **clémentines**. Ajoutez le **sucre glace**, la **farine** et la **levure**. Mélangez et ajoutez les **œufs** 1 par 1 en mélangeant.

• Coupez 3 **clémentines** en tranches et répartissez-les au fond d'un moule à manqué beurré. Ajoutez la pâte et enfournez 30 min.

TARTE CHEESECAKE AU CITRON VERT

Citrons verts
x 2

Fromage frais
300 g

Spéculoos
250 g

Crème fraîche
200 g

Œufs
x 2

Beurre
80 g

Préparation : 15 min
Cuisson : 40 min
Réfrigération : 1h
• Laissez refroidir,
saupoudrez du reste
de spéculoos et dégustez.

• Préchauffez le four à 180°C. Mélangez
le **fromage frais**, la **crème**, les **œufs**, le jus
et les zestes des **citrons** dans un robot. Laissez
reposer 1h au frais. Mixez les **spéculoos** et
mélangez-en 200 g avec le **beurre** fondu. Tassez
au fond du moule et enfournez 10 min. Laissez
refroidir. Ajoutez la préparation au fromage blanc
et enfournez 30 min.

TARTE AUX ABRICOTS ET AU ROMARIN

Abricots
x 9

Beurre
70 g

Galettes bretonnes
125 g

Huile d'olive
1 cuil à soupe

Romarin
2 branches

Sucre glace

Préparation : 15 min
Cuisson : 25 min

• Laissez refroidir, nappez d'un filet d'huile d'olive et dégustez.

• Préchauffez le four à 180°C.

• Écrasez les **galettes** et mélangez-les avec le **beurre** fondu et 1 branche de **romarin** hachée, puis tassez au fond d'un moule recouvert de papier cuisson.

• Répartissez les **abricots** dénoyautés et coupés en 2 en rosace sur la pâte. Ajoutez le reste de **romarin** puis enfournez 25 min.

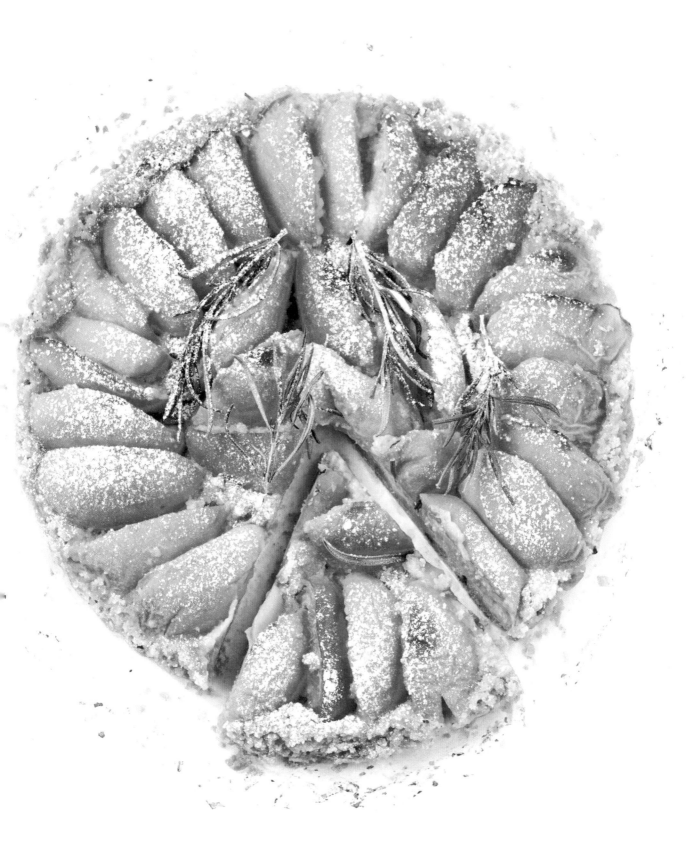

GÂTEAU ROULÉ AUX FRAISES

Œufs
x 3

Fraises
x 10 (grosses)

Sucre en poudre
100 g

Confiture de fraises
3 cuil. à soupe

Farine
80 g

Sucre glace

⊘

Préparation : 10 min
Cuisson : 15 min
Réfrigération : 10 min
• Poudrez de sucre glace.

• Préchauffez le four à 150°C.
• Fouettez les **jaunes** avec le **sucre**, ajoutez la **farine**. Montez les **blancs** et incorporez-les. Enfournez 15 min étalée sur une plaque couverte de papier cuisson. Démoulez sur une feuille humide, roulez en serrant et laissez refroidir. Déroulez et étalez la **confiture** et les **fraises** puis roulez de nouveau. Mettez au frais 10 min.

FEUILLETÉ ROULÉ À LA MÛRE

Mûres
1 barquette (125 g)

Pâte feuilletée
x 1 (ou 1 pâton)

Confiture de mûres
3 cuil. à soupe

Farine
100 g

Pommes
x 2

Beurre
100 g

 **Sucre glace**

Préparation : 20 min
Cuisson : 35 min

• Laissez refroidir. Poudrez de sucre glace et dégustez.

• Préchauffez le four à 180°C. Mélangez du bout des doigts le **beurre** et la **farine**. Ajoutez les **mûres**, les **pommes** épluchées et coupées en lamelles et la **confiture** et mélangez.

• Étalez la **pâte** sur une plaque recouverte de papier cuisson, placez la préparation aux mûres au bord et roulez la **pâte** en serrant. Enfournez 35 min.

GÂTEAU À LA MANGUE

Mangues
x 2 (bien mûres)

Beurre
200 g

Sucre en poudre
125 g + 2 cuil. à soupe

Levure
1 sachet

Œufs
x 4

Farine
225 g

 Sucre glace

Préparation : 20 min
Cuisson : 45 min

• Démoulez le gâteau chaud. Laissez refroidir et dégustez.

• Préchauffez le four à 180°C.

• Épluchez et découpez les **mangues** en tranches fines. Fouettez les **œufs** avec le **sucre**, ajoutez la **farine**, la **levure**, puis le **beurre** fondu.

• Placez les morceaux de **mangue** au fond d'un moule à manqué beurré. Saupoudrez de **sucre**, ajoutez la pâte et enfournez 45 min.

BROWNIES AU CHOCOLAT BLANC

Chocolat blanc
200 g

Mélange de fruits secs
100 g

Farine
70 g

Œufs
x 3

Sucre en poudre
125 g

Beurre
150 g

 **Sucre glace**

Préparation : 10 min
Cuisson : 30 min
• Poudrez de sucre glace et découpez en carrés.

• Préchauffez le four à 150°C.
• Faites fondre le **beurre** et le **chocolat**.
• Mélangez les **œufs** et le **sucre** jusqu'à ce que le mélange blanchisse. Ajoutez la **farine** et le **chocolat** fondu, mélangez puis ajoutez les **fruits secs**. Tapissez de papier cuisson un moule et versez la pâte. Enfournez 30 min.
• Laissez refroidir, démoulez.

TARTE FRAMBOISES ET BASILIC

Framboises
3 barquettes (3 x 125 g)

Beurre
60 g

Spéculoos
125 g

Lemon curd
4 cuil. à soupe

Basilic
20 feuilles

 **Sucre glace**

Préparation : 15 min
Cuisson : 10 min
• Poudrez de sucre glace et dégustez.

• Préchauffez le four à 180°C.
• Écrasez les **spéculoos** et mélangez-les avec le **beurre** fondu puis tassez au fond d'un moule à tarte recouvert de papier cuisson.
• Étalez le **lemon curd**, ajoutez la moitié des **framboises** et enfournez 10 min. Laissez refroidir. Mélangez le reste des **framboises** avec le **basilic** coupé puis placez-les sur la tarte.

CHARLOTTE AUX FRAISES ET AUX LITCHIS

Fraises
150 g

Biscuits à la cuillère
x 24

Litchis
150 g

Fromage frais
400 g

Liqueur de litchi
15 cl

Sucre en poudre
80 g

Préparation : 20 min
Réfrigération : 1 nuit
• Laissez prendre 1 nuit au frais, décorez avec des fruits et dégustez.

• Coupez les **fraises** et les **litchis** en 4. Fouettez le **fromage frais** avec le **sucre**, ajoutez les fruits et mélangez délicatement.

• Recouvrez le fond d'un moule à charlotte avec du papier film. Plongez les **biscuits** 1 par 1 dans la **liqueur de litchi** et tapissez le fond et les parois du moule. Versez le fromage aux fruits en 2 fois en plaçant une couche de **biscuits** au milieu.

FINANCIERS AUX FRAMBOISES

Framboises
125 g (1 barquette)

Beurre
70 g + 20 g (pour les moules)

Poudre d'amandes
125 g

Farine
20 g

Blancs d'œufs
x 2

Sucre en poudre
125 g

 Sucre en poudre

Préparation : 15 min
Cuisson : 15 min

• Poudrez de sucre en poudre et dégustez une fois refroidis.

90

• Préchauffez le four à 200°C.

• Faites fondre 70 g de **beurre** jusqu'à ce qu'il prenne une couleur noisette.

• Mélangez la **farine**, le **sucre**, la **poudre d'amandes** et les **blancs d'œufs**. Ajoutez le beurre noisette refroidi et mélangez. Répartissez la pâte dans des moules beurrés et ajoutez 3 **framboises**. Enfournez 15 min. Démoulez.

GALETTE DES ROIS À LA PISTACHE

Pâtes feuilletées
2 rouleaux (ou 2 pâtons)

Pâte de pistache
100 g

Farine
50 g

Beurre
120 g

Œufs
x 3 (2 entiers + 1 jaune)

Poudre d'amandes
200 g

 Sucre glace

🕐

**Préparation : 20 min
Cuisson : 30 min**
• Dégustez chaud
ou tiède.

• Préchauffez le four à 180°C. Fouettez les
2 **œufs** puis ajoutez la **poudre d'amandes**, la
farine, la **pâte de pistache** et 60 g de **beurre**
fondu et mélangez. Étalez 1 **pâte** sur une plaque
recouverte de papier cuisson. Garnissez-la de
crème puis recouvrez avec l'autre **pâte**. Scellez
les bords. Badigeonnez au jaune d'**œuf** + eau.
Enfournez 30 min.

CHARLOTTE AU CHOCOLAT

Œufs
x 3

Chocolat noir
100 g

Biscuits à la cuillère
x 20

Eau de fleur d'oranger
5 cl

Beurre
80 g

 Cacao en poudre

Préparation : 20 min
Réfrigération : 4 h
• Poudrez de cacao
et dégustez.

• Séparez les blancs des jaunes d'**œufs**. Mélangez le beurre et le chocolat fondus avec les **jaunes**. Montez les **blancs** en neige et incorporez-les au chocolat. Imbibez les **biscuits** dans 10 cl d'eau et 5 cl d'**eau de fleur d'oranger** et tapissez le fond et les bords du moule. Versez la moitié de la mousse, surmontez-la d'une couche de **biscuits** et répétez l'opération. Placez 4 h au frais.

BABA AU RHUM

Levure
½ sachet

Œufs
x 3

Sucre en poudre
200 g

Rhum
20 cl

Farine
100 g

Beurre
20 g

Préparation : 15 min
Cuisson : 20 min
• Dégustez avec de la crème fouettée et des fruits rouges.

• Préchauffez le four à 180°C. Séparez les blancs des jaunes d'**œufs**. Mélangez les **jaunes** avec 100 g de **sucre**. Montez les **blancs** en neige et incorporez-les dans les **jaunes**. Ajoutez la **farine** et la **levure**. Placez la pâte dans un moule beurré et enfournez 15 min. Faites bouillir 5 min le **rhum** avec 100 g de **sucre** et 20 cl d'eau. Imbibez le baba de sirop au rhum.

CAKE AU CHOCOLAT

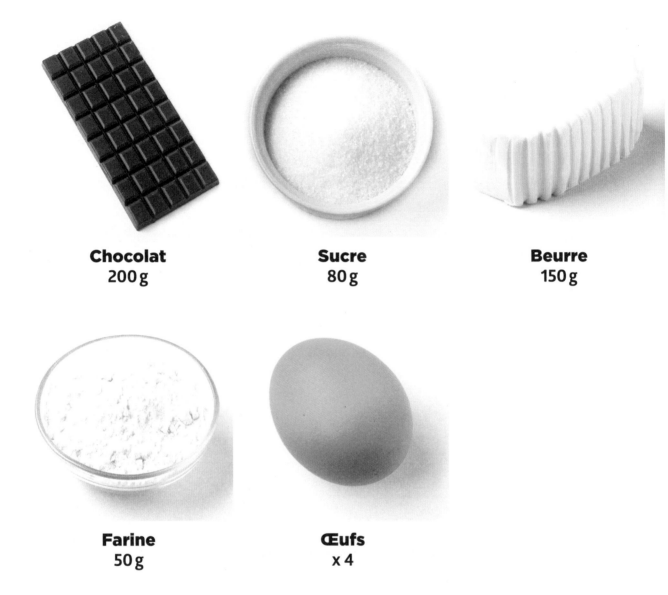

Chocolat
200 g

Sucre
80 g

Beurre
150 g

Farine
50 g

Œufs
x 4

Préparation : 20 min
Cuisson : 35 min
• Démoulez le cake une fois tiédi et dégustez tiède ou froid.

• Préchauffez le four à 180°C.
• Mélangez le **beurre** en petits morceaux et le **sucre**. Faites fondre le **chocolat** et ajoutez-le au mélange beurre-sucre. Séparez les jaunes des blancs d'**œufs**. Ajoutez les jaunes d'œufs un par un, en remuant. Incorporez la **farine** puis les blancs d'œufs montés en neige. Versez dans un moule beurré et enfournez 35 min.

TARTE À L'ANANAS FRAIS

Ananas
x 1 (gros)

Beurre
125 g

Spéculoos
290 g

Préparation : 10 min
Cuisson : 25 min

- Préchauffez le four à 180°C.
- Épluchez et découpez l'**ananas** en morceaux. Écrasez les **spéculoos**, mélangez-en 250 g avec le **beurre** fondu puis tassez au fond d'un moule recouvert de papier cuisson. Enfournez 25 min. Laissez refroidir, disposez les morceaux d'**ananas** sur le fond de tarte. Saupoudrez de **spéculoos** écrasés.

LE CHEESECAKE NATURE

Crème fraîche
20 cl

Spéculoos
200 g

Ricotta
500 g

Œufs
x 3

Sucre cassonade
150 g

Beurre
60 g

 **Sucre glace**

Préparation : 15 min
Cuisson : 40 min
• Laissez refroidir.
Démoulez et saupoudrez
de sucre glace.

• Préchauffez le four à 180°C.

• Écrasez les **spéculoos** et mélangez-les avec
le **beurre** fondu puis tassez au fond d'un moule
recouvert de papier cuisson.

• Fouettez la **ricotta** avec la **crème**, le **sucre**
et les **œufs**, versez cette préparation sur la pâte
et enfournez 40 min.

CAKE AU THÉ MATCHA

Thé matcha
3 cuil. à café

Farine
140 g

Beurre
140 g

Sucre
140 g

Œufs
x 3

Levure chimique
1 sachet

Préparation : 10 min
Cuisson : 40 min

• Préchauffez le four à 180°C.

• Mélangez la **farine** et la **levure** dans un saladier, ajoutez les **œufs** en fouettant, le **beurre** fondu, le **sucre** et le **thé matcha**. Versez dans un moule à cake beurré et enfournez 40 min.

• Démoulez le cake une fois tiédi et dégustez tiède ou froid.

CLAFOUTIS AUX POIRES

Crème fraîche
250 g

Poires
x 4

Pâte brisée
1 rouleau (ou 1 pâton)

Œufs
x 3

Poudre d'amandes
40 g

Sucre
150 g

**Sucre glace**

Préparation : 15 min
Cuisson : 45 min
• Dégustez tiède ou froid, poudrée de sucre glace.

• Préchauffez le four à 170°C.
• Étalez la **pâte** dans un moule à tarte en laissant le papier de cuisson. Rabattez les côtés vers l'intérieur et pressez-les du bout des doigts.
• Fouettez les **œufs**, le **sucre**, la **poudre d'amandes** et la **crème** et versez sur la pâte. Ajoutez les **poires** épluchées et coupées en morceaux. Enfournez 45 min.

NONNETTES PERDUES

Lait
10 cl

Nonnettes
x 4

Sucre glace
1 cuil. à soupe

Œufs
x 3

Beurre
30 g

Préparation : 5 min
Cuisson : 5 min
Trempage : 30 s
• Dégustez chaud ou tiède avec de la glace à la vanille.

• Fouettez les **œufs** avec le **sucre glace** jusqu'à ce qu'ils blanchissent, ajoutez le **lait** et mélangez.
• Découpez les **nonnettes** en 2 et mettez-les à tremper 30 s dans la préparation.
• Faites fondre le **beurre** dans une grande poêle et saisissez les **nonnettes** dans le beurre chaud. Faites colorer des 2 côtés et égouttez-les sur une assiette.

GRATIN DE CERISES

Cerises
400 g

Vinaigre balsamique
4 cuil. à soupe

Sucre en poudre
60 g

Crème liquide
20 cl

Jaunes d'œufs
x 4

Préparation : 15 min
Cuisson : 4 min
• Dégustez immédiatement avec une glace.

• Dénoyautez les **cerises** et mélangez-les avec la moitié du **vinaigre balsamique**.

• Fouettez les **jaunes d'œufs** avec le **sucre** jusqu'à ce qu'ils blanchissent, ajoutez la **crème**, le reste du **vinaigre** et mélangez.

• Répartissez les **cerises** et la préparation dans 4 ramequins. 10 min avant de déguster, préchauffez le gril du four à 200°C. Enfournez 4 min sous le gril.

CROUSTADES À LA PÊCHE BLANCHE

Pêches blanches
x 3

Pâte brisée
1 rouleau (ou 1 pâton)

Sirop d'érable
5 cl

Amandes effilées
20 g

👤👤👤👤

🧂 Sucre glace

🕐

Préparation : 15 min
Cuisson : 25 min
• Dégustez avec une glace au lait d'amande.

• Préchauffez le four à 180°C.
• Épluchez les **pêches**. Découpez 4 bandes de **pâte**. Enroulez chaque **pêche** d'une bande de **pâte** et enfournez-les 25 min.
• 5 min avant la fin de la cuisson, portez à ébullition les **amandes** avec le **sirop d'érable**.
• Dressez les pêches dans un plat, nappez du sirop aux amandes, poudrez de **sucre glace**.

CLAFOUTIS À LA CERISE ET SPÉCULOOS

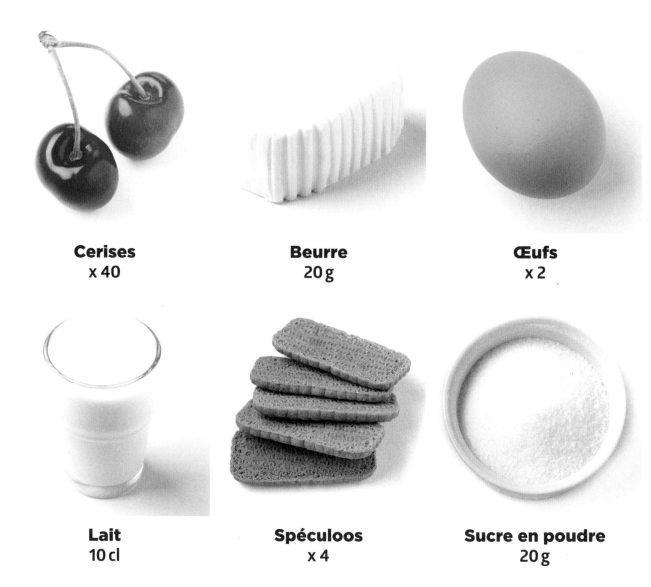

Cerises
x 40

Beurre
20 g

Œufs
x 2

Lait
10 cl

Spéculoos
x 4

Sucre en poudre
20 g

 Sucre glace

Préparation : 10 min
Cuisson : 15 min

• Laissez tiédir puis dégustez chaud ou tiède, poudré de sucre glace.

• Préchauffez le four à 180°C.

• Portez le lait à ébullition, ajoutez les **spéculoos** émiettés, fouettez et laissez refroidir.

• Fouettez les **œufs** avec le **sucre** jusqu'à ce que le mélange blanchisse, ajoutez le **lait** et le **beurre** fondu et mélangez.

• Répartissez la pâte et les **cerises** entières dans des plats individuels et enfournez 15 min.

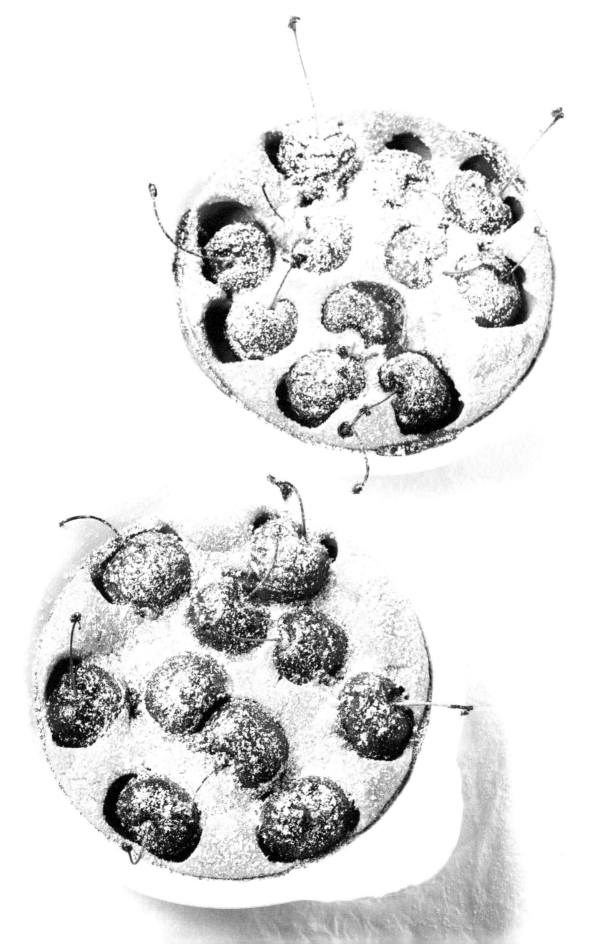

CRUMBLE FRAISES, RHUBARBE ET COCO

Rhubarbe
700 g (fraîche ou surgelée)

Farine
100 g

Fraises
x 20

Noix de coco râpée
70 g

Beurre
100 g

Sucre en poudre
50 g

 Sucre glace

Préparation : 10 min
Cuisson : 20 min
• Dégustez tiède
ou chaud.

• Préchauffez le four à 180°C.
• Mélangez du bout des doigts le **beurre**, la **farine**, la **noix de coco** râpée et le **sucre**.
• Lavez, équeutez et taillez les **fraises** en 2. Épluchez et coupez la **rhubarbe** en morceaux. Répartissez les fruits dans des plats individuels ou dans un grand plat à gratin.
• Ajoutez la pâte à crumble et enfournez 20 min.

CLAFOUTIS AUX RAISINS ET AU CASSIS

Raisin noir
400 g (gros grains)

Beurre
20 g

Crème de cassis
4 cuil. à soupe

Lait
10 cl

Œufs
x 2

Sucre en poudre
20 g

 **Sucre glace**

Préparation : 15 min
Cuisson : 20 min
• Dégustez tiède ou froid.

• Préchauffez le four à 180°C.

• Coupez les grains de **raisin** en 2 et épépinez-les. Mélangez le **raisin** avec la **crème de cassis**.

• Fouettez les **œufs** avec le **sucre** jusqu'à ce qu'ils blanchissent. Ajoutez le **lait** et le **beurre** fondu et mélangez.

• Répartissez la préparation et le **raisin** dans un plat à gratin et enfournez 20 min. Laissez tiédir.

BANANES AU FOUR

Beurre
40 g

Rhum
5 cl

Bananes
x 2

Sucre en poudre
4 cuil. à soupe

Préparation : 5 min
Cuisson : 25 min

- Préchauffez le four à 200°C.
- Découpez les **bananes** en 2 avec la peau dans la longueur, placez-les dans un plat à gratin. Ajoutez le **beurre** en petits morceaux et le **rhum**.
- Saupoudrez de **sucre en poudre** et enfournez 25 min en arrosant régulièrement les **bananes** avec le jus de cuisson caramélisé.
- Dégustez chaud avec une boule de glace.

CLAFOUTIS À LA POIRE ET AU PAIN D'ÉPICE

Poires
x 4

Beurre
20 g

Œufs
x 2

Lait
10 cl

Pain d'épice
3 tranches

Sucre en poudre
20 g

 Sucre glace

Préparation : 10 min
Cuisson : 30 min
• Dégustez chaud
ou tiède, poudré
de sucre glace.

• Préchauffez le four à 180°C.

• Portez le **lait** à ébullition, ajoutez le **pain d'épice** émietté, fouettez et laissez refroidir.

• Fouettez les **œufs** avec le **sucre** jusqu'à ce que le mélange blanchisse et ajoutez le **lait**, le **beurre** fondu et mélangez.

• Répartissez la pâte et les **poires** épluchées et émincées dans un plat et enfournez 30 min.

MOELLEUX TIÈDE CHOCOLAT-GRIOTTES

Griottes cerises
x 40 (fraîches ou surgelées)

Sucre en poudre
2 cuil. à soupe

Chocolat noir
100 g

Œufs
x 3

 Sucre glace

Préparation : 15 min
Cuisson : 8 min

• Dégustez chaud avec une boule de glace à la vanille.

• Préchauffez le four à 180°C. Séparez les blancs des jaunes d'**œufs**. Faites fondre le **chocolat** et mélangez-le avec les **jaunes**. Fouettez les **blancs** en neige ferme, ajoutez le **sucre** et fouettez 5 s de plus, puis incorporez-les délicatement au chocolat fondu.

• Répartissez la mousse et les **griottes** dans des plats à gratins individuels et enfournez 8 min.

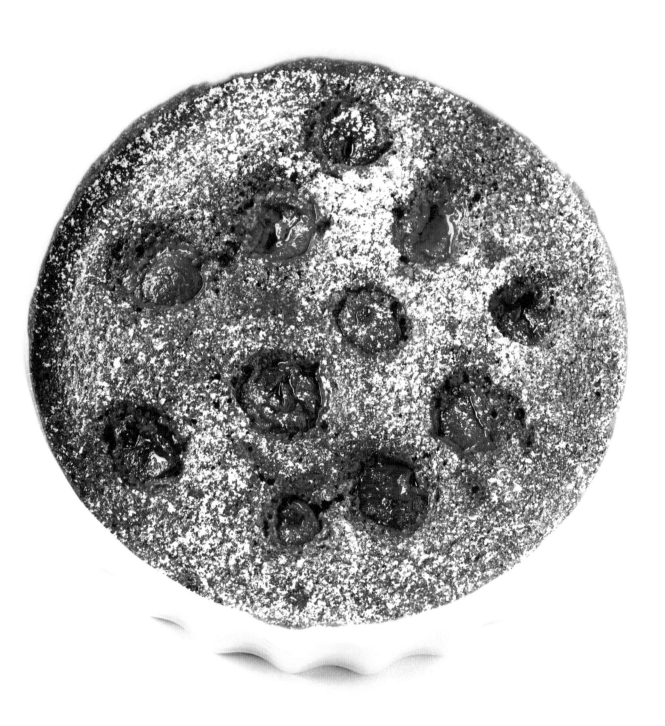

ABRICOTS GRATINÉS À LA COCO

Abricots
x 8 (gros)

Noix de coco râpée
90 g

Blanc d'œuf
x 1

Lait de coco
10 cl

Sucre en poudre
60 g

Préparation : 15 min
Cuisson : 15 min

• Dégustez tiède avec une glace.

• Préchauffez le four à 180°C.

• Mélangez du bout des doigts le **blanc d'œuf**, la **noix de coco râpée** et le **sucre**. Coupez les **abricots** en 2, dénoyautez-les et garnissez les demi-abricots avec le mélange à la **noix de coco**. Disposez-les dans un plat à gratin, ajoutez le **lait de coco** et enfournez 15 min.

FRUITS DE LA PASSION GRATINÉS

Fruits de la Passion
x 4

Noix de coco râpée
90 g

Blanc d'œuf
x 1

Sucre en poudre
60 g

Préparation : 5 min
Cuisson : 25 min

• Dégustez tiède ou froid avec de la glace à la noix de coco.

• Préchauffez le four à 180°C.

• Coupez les **fruits de la Passion** en 2. Récupérez la pulpe et mélangez-la du bout des doigts avec la **noix de coco** râpée, le **blanc d'œuf** et le **sucre en poudre**.

• Garnissez les coques de ce mélange et enfournez 25 min.

MOUSSE AU CHOCOLAT CRAQUANTE

Chocolat noir
100 g

Œufs
x 3

Gavottes au chocolat
x 20

Chouchous
x 20

Préparation : 10 min
Cuisson : 10 min
Réfrigération : 2 h

• Concassez les **chouchous**. Séparez les blancs des jaunes d'**œufs**. Faites fondre le **chocolat** et mélangez-le avec les **jaunes**.

• Fouettez les blancs en neige et incorporez-les au chocolat fondu. Ajoutez les **chouchous**.

• Laissez prendre la mousse 2 h au frais. Répartissez les **gavottes** en les enfonçant dans la mousse et dégustez.

MOUSSE AU CHOCOLAT ET AUX NOISETTES

Chocolat noir
100 g

Œufs
x 3

Sirop d'érable
10 cl

Noisettes
x 16

Préparation : 10 min
Cuisson : 5 min
Réfrigération : 2 h

• Séparez les blancs des jaunes d'**œufs**. Faites fondre le **chocolat** et mélangez-le avec les **jaunes**. Fouettez les **blancs** en neige et incorporez-les au chocolat fondu. Laissez prendre la mousse 2 h au frais.

• Faites revenir 3 min les **noisettes** concassées dans le **sirop d'érable** et répartissez-les sur la mousse froide.

RIZ AU LAIT AU CARAMEL

Lait entier
1 l

Coulis de caramel
4 cuil. à soupe

Sucre en poudre
40 g

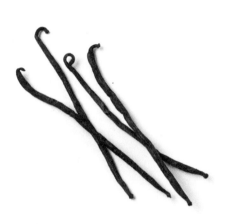

Vanille
1 gousse

Riz rond
125 g

Préparation : 5 min
Cuisson : 45 min
Réfrigération : 1 h

• Faites bouillir le **lait** avec la gousse de **vanille** fendue et grattée et le **sucre**.

• Ajoutez le **riz** et faites cuire à feu doux 45 min en remuant de temps en temps. Répartissez le **riz** dans 4 ramequins et placez au frais.

• Au moment de déguster, ajoutez un filet de **coulis de caramel au beurre salé** chauffé 20 s au micro-ondes.

MOUSSE CHOCOLAT-PASSION

Chocolat noir
100 g

Œufs
x 3

Fruits de la Passion
x 12

👤👤👤👤/👤👤

🕐

Préparation : 10 min
Cuisson : 5 min
Réfrigération : 1h

• Récupérez la pulpe de **fruits de la Passion** et les coques.

• Séparez les blancs des jaunes d'**œufs**. Mélangez le **chocolat** fondu avec les jaunes. Fouettez les **blancs** en neige et incorporez-les au chocolat fondu. Ajoutez ¾ de la pulpe. Répartissez la mousse dans les coques vides et laissez prendre 1h au frais. Ajoutez le reste de la pulpe et dégustez.

MOUSSE AU CHOCOLAT ET RIZ SOUFFLÉ

Chocolat au riz soufflé
1 tablette (100 g au lait)

Meringues
x 4 (petites)

Œufs
x 3

Beurre
80 g

Citron vert
x 1

👨👨👨👨/👨👨
🕐

Préparation : 10 min
Cuisson : 5 min
Réfrigération : 2 h
• Répartissez des carrés de chocolat et des meringues émiettées sur les mousses et dégustez.

• Séparez les blancs des jaunes d'**œufs**. Faites fondre le **chocolat** avec le **beurre** et mélangez-le avec les jaunes. Fouettez les blancs en neige et incorporez-les délicatement au **chocolat** fondu. Ajoutez les zestes et le jus du **citron vert**.

• Répartissez la mousse dans des ramequins individuels, laissez prendre 2 h au réfrigérateur.

MOUSSE CHOCO-CARAMEL AUX FRUITS

Fruits rouges
300 g

Chocolat noir
100 g

Œufs
x 3

Coulis de caramel
4 cuil. à soupe

 Sucre glace

Préparation : 10 min
Cuisson : 5 min
Réfrigération : 1h
• Poudrez de sucre glace.

140

• Séparez les blancs des jaunes d'**œufs**. Faites fondre le **chocolat** au bain-marie et mélangez-le avec les **jaunes**. Fouettez les **blancs** en neige et incorporez-les délicatement au chocolat fondu.

• Répartissez la mousse dans des plats à œufs individuels, ajoutez les **fruits rouges** et laissez prendre 1h au réfrigérateur. Dégustez avec un filet de **coulis de caramel**.

COULANT AU CHOCOLAT

Chocolat noir
100 g noir à 70 % de cacao

Œufs
x 3

Cacao en poudre
2 cuil. à soupe

 Cacao

Préparation : 15 min
Cuisson : 10 min
Réfrigération : 1h
• Saupoudrez de cacao
et dégustez chaud.

• Séparez les blancs des jaunes d'**œufs**. Faites fondre le **chocolat** et mélangez-le avec les **jaunes**. Fouettez les **blancs** en neige et incorporez-les au chocolat fondu.

• Répartissez la mousse dans des ramequins. Placez-les au frais 1h au minimum.

• Préchauffez le four à 180°C. Enfournez les mousses 6 min.

142

FAUX SOUFFLÉS CHOCOLAT-CAFÉ

Amarettis
x 4

Chocolat noir
100 g (70 % de cacao)

Cacao en poudre
2 cuil. à soupe

Œufs
x 4

Sucre en poudre
2 cuil. à soupe

Glace au café
4 boules

Cacao

Préparation : 15 min
Cuisson : 8 min

• Préchauffez le four à 180°C. Mélangez les **jaunes** avec le **chocolat** fondu. Montez les **blancs** en neige, ajoutez le **sucre** et fouettez 5 s de plus. Incorporez les blancs au chocolat.

• Garnissez les tasses de mousse et enfournez 8 min sans ouvrir le four. Ajoutez 1 boule de **glace au café** et saupoudrez d'**amarettis** concassés et de **cacao** et dégustez chaud.

SOUFFLÉS À LA FRAMBOISE

Framboises
x 20

Beurre
10 g

Coulis de framboises
1 sachet (surgelé)

Sucre en poudre
3 cuil. à soupe

Œufs
x 4

 **Sucre glace**

🕐

Préparation : 10 min
Cuisson : 20 min

• Poudrez de sucre glace et servez.

146

• Préchauffez le four à 180°C. Beurrez les ramequins, saupoudrez de **sucre** en tapotant.

• Mélangez les **jaunes** avec les **framboises** écrasées et le coulis. Montez les **blancs** en neige, ajoutez 2 cuil. de sucre et fouettez 5 s de plus. Incorporez les **blancs** au mélange à la framboise.

• Garnissez les tasses au ¾ et enfournez 20 min sans ouvrir le four.

SOUFFLÉS CACAO-NOISETTE

Œufs
x 4

Pâte à tartiner
3 cuil. à soupe

Beurre
10 g

Sucre en poudre
3 cuil. à soupe

 Sucre glace

Préparation : 10 min
Cuisson : 20 min
• Poudrez de sucre glace et servez.

• Préchauffez le four à 180°C. Beurrez les ramequins, saupoudrez de **sucre** en tapotant.
• Mélangez les **jaunes** avec la **pâte à tartiner**. Montez les **blancs** en neige, ajoutez 2 cuil. de **sucre** et fouettez 5 s de plus. Incorporez les blancs au mélange à la **pâte à tartiner**.
• Garnissez les tasses au ¾ et enfournez 20 min sans ouvrir le four.

SOUFFLÉS COCO-CITRON

Lemon curd
3 cuil. à soupe

Œufs
x 4

Noix de coco râpée
2 cuil. à soupe

Sucre en poudre
3 cuil. à soupe

Beurre
10 g

🧍🧍🧍🧍

Préparation : 10 min
Cuisson : 20 min

• Préchauffez le four à 180°C. Beurrez les ramequins, poudrez de **sucre** en tapotant.

• Mélangez les **jaunes** avec le **lemon curd** et 1 cuil. de **noix de coco**. Montez les **blancs** en neige, ajoutez 2 cuil. de **sucre** et fouettez 5 s. Incorporez les blancs au mélange au lemon curd. Garnissez les ramequins au ¾. Poudrez de **noix de coco** et enfournez 20 min sans ouvrir le four.

TIRAMISU CLASSIQUE

Café expresso
10 cl

Mascarpone
250 g

Cacao en poudre
10 cl

Biscuits à la cuillère
x 18

Sucre en poudre
40 g

Œufs
x 3

 Cacao

Préparation : **15 min**
Cuisson : **2 h**
• Poudrez de cacao
et dégustez.

• Séparez les blancs des jaunes d'**œufs**. Fouettez les jaunes avec le **sucre** jusqu'à ce qu'ils blanchissent. Ajoutez le **mascarpone** en fouettant. Montez les **blancs** en neige bien ferme et incorporez-les dans la crème.

• Trempez les biscuits dans le **café** et dressez-les dans un plat en alternant avec la crème au mascarpone. Placez 2 h au frais.

POTS DE CRÈME À LA VANILLE

Jaunes d'œufs
x 5

Crème liquide
50 cl

Vanille
3 gousses

Sucre en poudre
80 g

Préparation : 10 min
Cuisson : 35 min

• Préchauffez le four à 160°C.

• Fouettez les jaunes d'**œufs** avec le **sucre** jusqu'à ce qu'ils blanchissent, ajoutez la **crème** froide et les gousses de **vanille** fendues et grattées. Mélangez l'ensemble et répartissez la crème dans des ramequins individuels. Enfournez 35 min au bain-marie.

• Laissez refroidir au réfrigérateur et dégustez.

POTS DE CRÈME AU CHOCOLAT

Chocolat noir
100 g

Crème liquide
50 cl

Jaunes d'œufs
x 5

Sucre en poudre
30 g

Préparation : 10 min
Cuisson : 35 min
Réfrigération : 1h
• Placez au frais
et dégustez.

• Préchauffez le four à 160°C.
• Râpez le **chocolat** avec un économe. Faites bouillir la **crème**, versez-la sur le **chocolat** en fouettant et laissez tiédir.
• Fouettez les jaunes d'**œufs** avec le **sucre** jusqu'à ce qu'ils blanchissent, ajoutez la **crème** au chocolat. Répartissez la crème dans des ramequins individuels. Enfournez 35 min au bain-marie.

GRANDE CRÈME BRÛLÉE AU PAIN D'ÉPICE

Jaunes d'œufs
x 5

Crème liquide
50 cl

Cassonade
2 cuil. à soupe

Sucre en poudre
50 g

Pain d'épice
3 tranches

Préparation : 10 min
Cuisson : 35 min
Réfrigération : 2 h

• Au moment de déguster, saupoudrez de cassonade et caramélisez-la avec un chalumeau de cuisine.

• Préchauffez le four à 160°C.

• Portez la **crème** à ébullition, ajoutez le **pain d'épice** émietté, fouettez et laissez refroidir.

• Fouettez les **jaunes d'œufs** avec le **sucre en poudre** jusqu'à ce qu'ils blanchissent, ajoutez la crème refroidie. Versez la crème dans un plat à gratin. Enfournez 35 min au bain-marie.

• Laissez refroidir 2 h au réfrigérateur.

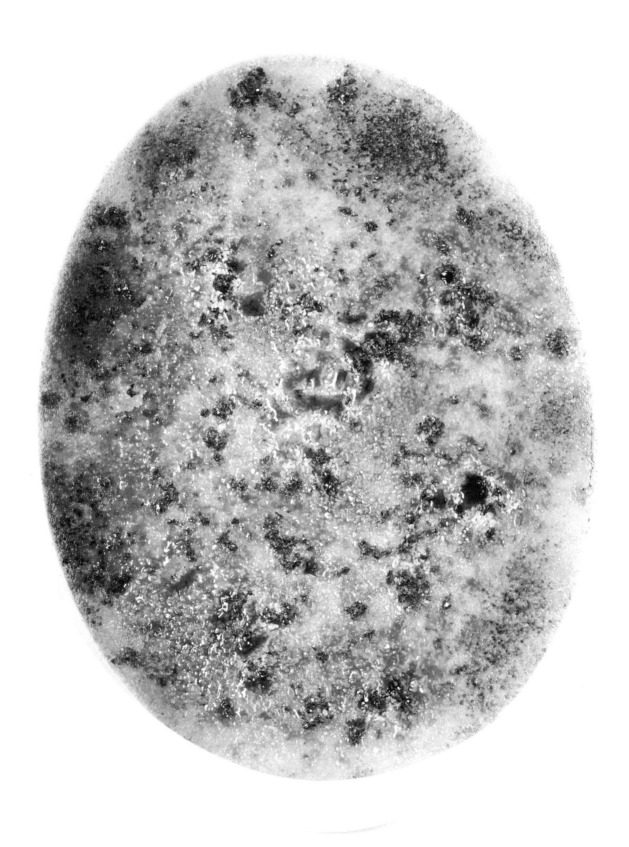

ÎLES FLOTTANTES MANGUE-COCO

Blancs d'œufs
x 3

Lait de coco
80 cl

Coulis de mangues
7 sachets

Noix de coco râpée
30 g

Sucre en poudre
25 g

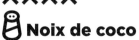
Noix de coco

Préparation : 10 min
Cuisson : 25 min
+ 1 min (micro-ondes)
• Dégustez avec le coulis mangue/lait de coco.

• Faites réduire le **lait de coco** de moitié, ajoutez le **coulis de mangues** et fouettez. Placez au frais.

• 10 min avant de déguster, montez les blancs en neige, ajoutez le **sucre** et la **noix de coco** râpée, fouettez 1 min de plus. Répartissez les blancs dans des assiettes et faites-les cuire 1 par 1, 15 s au micro-ondes à puissance maximale.

• Saupoudrez de **noix de coco**.

CRÈME RENVERSÉE AU CARAMEL

Sucre en poudre
200 g

Œufs
x 8 (5 entiers + 3 jaunes)

Lait entier
1 l

Vanille
1 gousse

Sucre
25 morceaux

Préparation : 10 min
Cuisson : 1 h 15
Réfrigération : 1 nuit
• Laissez prendre 1 nuit au frais. Démoulez et servez en tranches.

• Préchauffez le four à 150°C.
• Faites fondre les morceaux de **sucre** dans 5 cl d'eau jusqu'à obtenir une couleur caramel puis versez au fond d'un moule à cake. Fouettez les **œufs**, les **jaunes** et le **sucre**. Faites bouillir le **lait** avec la **vanille** fendue et grattée et versez-le bouillant sur les **œufs** en fouettant. Versez dans le moule. Enfournez 1 h à 150°C au bain-marie.

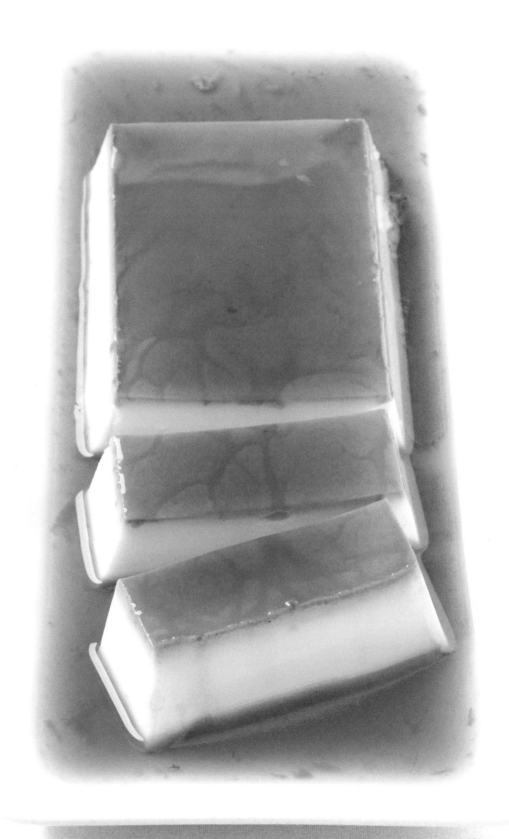

PANNA COTTA PASSION-CITRON

Crème fleurette
60 cl

Fruits de la Passion
x 4

Feuilles de gélatine
x 4

Citron vert
x 1

Sucre en poudre
50 g

👤👤👤👤
🕐
Préparation : 10 min
Cuisson : 5 min
Réfrigération : 3 h

• Zestez et pressez le **citron vert**. Faites ramollir la **gélatine** dans de l'eau froide. Faites bouillir la **crème**, les zestes de **citron** et le **sucre**. Essorez la gélatine et mettez-la à fondre dans la crème bouillante hors du feu. Mélangez et ajoutez le jus de **citron**. Répartissez dans 4 verres et laissez prendre au frais 3 h. 5 min avant de déguster, répartissez la pulpe des **fruits de la Passion**.

CRÈME AUX AMARETTIS

Crème fleurette
33 cl

Framboises
x 24

Mascarpone
50 g

Vermouth blanc
10 cl

Amarettis
x 16 petits (ou 8 gros)

Préparation : 10 min
Cuisson : 30 min

• Mélangez la **crème** et le **mascarpone** bien frais. Fouettez l'ensemble en chantilly avec un fouet électrique. Mettez les **amarettis** à tremper 1 min dans le **vermouth**.

• Répartissez la crème fouettée, les **framboises** et les **amarettis** dans 4 verres. Réservez au frais.

• Avant de servir, ajoutez le **vermouth** dans les verres et dégustez.

MONT-BLANC EN VERRINE

Crème fleurette
33 cl

Crème de marrons
8 cuil. à soupe

Mascarpone
50 g

Marrons glacés
x 4

Meringues
x 4 (petites)

Préparation : 10 min

• Mélangez la **crème** et le **mascarpone** bien frais. Fouettez l'ensemble en chantilly avec un fouet électrique.

• Mélangez la chantilly avec la **crème de marrons** sans trop lier l'ensemble. Répartissez la crème avec les **marrons glacés** en morceaux et les **meringues** écrasées dans 4 verres. Réservez au frais pendant le repas avant de déguster.

FRAISES CHANTILLY CITRON

Fraises
x 20

Crème fleurette
33 cl

Lemon curd
4 cuil. à soupe

Mascarpone
50 g

Préparation : 10 min

• Mélangez la **crème** et le **mascarpone** bien frais. Fouettez l'ensemble en chantilly avec un fouet électrique. Mélangez la chantilly avec le **lemon curd** sans trop lier l'ensemble.

• Répartissez la crème avec les **fraises** coupées en 2 dans 4 verres.

• Réservez au frais pendant le repas avant de déguster.

PANNA COTTA CRAQUANTE ET FONDANTE

Crème fleurette
60 cl

Crêpes dentelle
x 12

Sucre en poudre
50 g

Feuilles de gélatine
x 4

Vanille
3 gousses

Préparation : 10 min
Cuisson : 5 min
Réfrigération : 3 h

• Faites ramollir les feuilles de **gélatine** dans de l'eau froide. Faites bouillir la **crème**, les gousses de **vanille** fendues et grattées et le **sucre**. Essorez la **gélatine** et mettez-la à fondre dans la crème bouillante hors du feu. Mélangez bien.

• Répartissez dans 4 verrines et laissez prendre au frais 3 h. Émiettez les **crêpes dentelle** sur les panna cottas.

TIRAMISU FRAISES DES BOIS

Fraises des bois
2 barquettes (2 x 125 g)

Mascarpone
250 g

Liqueur de fraise
4 cuil. à soupe

Biscuits à la cuillère
x 16

Œufs
x 3

Sucre en poudre
40 g

 Sucre glace

Préparation : 10 min
Réfrigération : 2 h

• Séparez les blancs des jaunes d'**œufs**. Fouettez les jaunes avec le **sucre** jusqu'à ce qu'ils blanchissent et ajoutez le **mascarpone**. Montez les blancs en neige bien ferme et incorporez-les délicatement dans la crème au mascarpone.

• Trempez les **biscuits** coupés en 2 dans la **liqueur** et dressez-les dans des verrines avec les **fraises** et la crème. Placez 2 h au frais et dégustez.

CRÈME ONCTUEUSE AU CAFÉ

Crème liquide
33 cl

Macarons café
x 8

Café instantané
x 1 stick (en poudre)

Mascarpone
50 g

Préparation : 5 min

• Fouettez doucement la **crème** et le **mascarpone** ensemble dans un batteur en accélérant jusqu'à l'obtention d'une crème onctueuse et aérée. Ajoutez le **café instantané** et fouettez 5 s supplémentaires.

• Découpez les **macarons** en plusieurs morceaux. Répartissez la crème et les morceaux de **macarons** dans des verrines.

ROULEAUX MANGUE ET PISTACHE

Mangues
x 2

Feuilles de brick
x 2

Pistaches mondées
50 g

Huile d'olive
3 cuil. à soupe

Miel liquide
2 cuil. à soupe

Préparation : 20 min
Cuisson : 20 min
• Dégustez tiède avec une glace à la pistache.

• Préchauffez le four à 180°C. Coupez 16 morceaux de la **mangue**. Concassez les **pistaches**.

• Badigeonnez les **feuilles de brick** avec l'**huile d'olive**, superposez-les et découpez 8 bandes.

• Enveloppez 2 morceaux de **mangue** dans chaque bande. Déposez les rouleaux sur une plaque recouverte de papier cuisson et enfournez 20 min.

• Nappez de **miel** et saupoudrez de **pistaches**.

NEMS ABRICOTS ET DRAGÉES

Abricots
x 12

Feuilles de brick
x 4

Romarin
1 branche (petite)

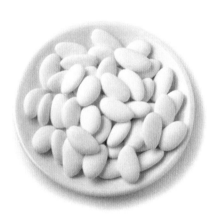

Dragées
x 16

Huile d'olive
4 cuil. à soupe

Préparation : 15 min
Cuisson : 20 min
• Servez chaud avec une glace à la vanille.

• Préchauffez le four à 180°C.

• Dénoyautez et coupez les **abricots** en 2. Concassez les **dragées**. Hachez le **romarin**.

• Badigeonnez les **feuilles de brick** d'**huile d'olive**. Répartissez les morceaux d'**abricots**, les **dragées** et le **romarin** sur les **feuilles de brick**. Rabattez les côtés puis roulez-les en serrant bien. Enfournez-les 20 min.

ROULEAUX CHOCO-CLÉMENTINE

Clémentines
x 4

Galettes de riz
x 12

Estragon
24 feuilles

Gavottes au chocolat
x 24

Préparation : 10 min

• Épluchez et détachez les quartiers de **clémentine**.

• 5 min avant de déguster, trempez les **galettes** dans un saladier d'eau et disposez-les côté lisse vers le bas. Répartissez les quartiers de **clémentine**, l'**estragon** et les **gavottes** sur la partie supérieure, rabattez les côtés puis roulez en serrant bien. Dégustez immédiatement.

ROULEAUX CHOCO-POIRE

Poires
x 3

Galettes de riz
x 12

Biscuits au chocolat
(en bâtonnets) x 12

Marmelade d'oranges
4 cuil. à soupe

Basilic
8 feuilles (moyennes)

Préparation : 5 min
• Dégustez avec
la marmelade d'oranges
tiède.

• Faites chauffer la **marmelade** avec 5 cl d'eau en fouettant. Épluchez et taillez les **poires** en 4.

• 5 min avant de déguster, trempez les **galettes** dans un saladier d'eau et disposez-les le côté lisse vers le bas. Répartissez les **poires**, le **basilic** et les **biscuits** sur la partie supérieure. Rabattez les côtés puis roulez en serrant bien.

ROULEAUX DE PRINTEMPS À LA FRAISE

Fraises
x 24

Galettes de riz
x 8

Menthe
16 feuilles (grosses)

Meringues
x 4 (petites)

Basilic
8 feuilles

Préparation : 5 min

• Équeutez et découpez les **fraises** en 2. Cassez grossièrement les **meringues**.

• 5 min avant de déguster, trempez les **galettes** dans un saladier d'eau et disposez-les sur le plan de travail, le côté lisse vers le bas. Répartissez les ingrédients sur la partie supérieure des **galettes**, puis roulez en serrant bien. Dégustez.

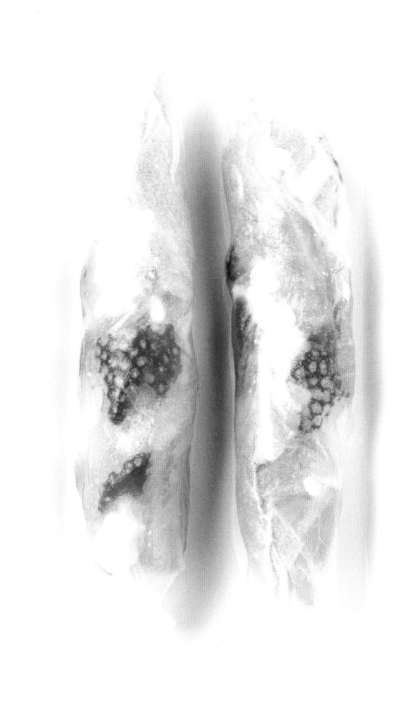

ROULEAUX À LA FRAMBOISE

Oranges
x 2

Crêpes dentelle
x 12

Framboises
x 48 (environ 2 barquettes)

Menthe
18 feuilles

Vinaigre balsamique
2 cuil à soupe

Galettes de riz
x 12

Préparation : 10 min
• Dégustez avec le jus d'orange au vinaigre balsamique.

• Pressez les **oranges**, mélangez le jus avec le **vinaigre balsamique**.

• 5 min avant de déguster, trempez les **galettes** dans un saladier d'eau et disposez-les côté lisse vers le bas. Répartissez les **framboises**, la **menthe** et les **crêpes dentelle** sur la partie supérieure, rabattez les côtés puis roulez en serrant bien.

NAGE DE PÊCHES, PASSION-VERVEINE

Pêches
x 4

Miel liquide
3 cuil. à soupe

Fruits de la Passion
x 2

Verveine séchée
2 petites poignées de feuilles

👤👤👤👤
🕐
Préparation : 20 min
Cuisson : 10 min
Réfrigération : 1 h

• Faites bouillir 30 cl d'eau avec le **miel**. Stoppez le feu, ajoutez la **verveine** et laissez infuser. Placez au frais 1 h.

• Épluchez et découpez les **pêches** en quartiers.

• 5 min avant de déguster, répartissez les **pêches** et la chair des **fruits de la Passion** dans un plat creux, ajoutez l'infusion à la **verveine** glacée.

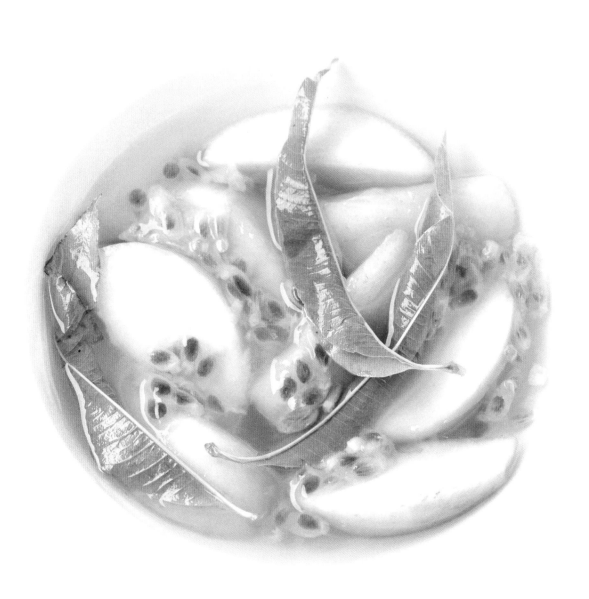

KUMQUATS CONFITS ET PAMPLEMOUSSE

Pamplemousses
x 3

Vermouth blanc
30 cl

Kumquats
250 g

Sucre en poudre
200 g

👤👤👤👤

🕐

Préparation : 20 min
Cuisson : 45 min

• Mettez les **kumquats** dans une casserole.
Ajoutez le **vermouth** et le **sucre** et faites
cuire 45 min à feu doux puis laissez refroidir
à température ambiante. Épluchez les
pamplemousses à vif et pressez le jus.

• Dressez les **pamplemousses** dans un plat
creux, ajoutez les kumquats, le sirop de cuisson
et le jus. Servez bien frais.

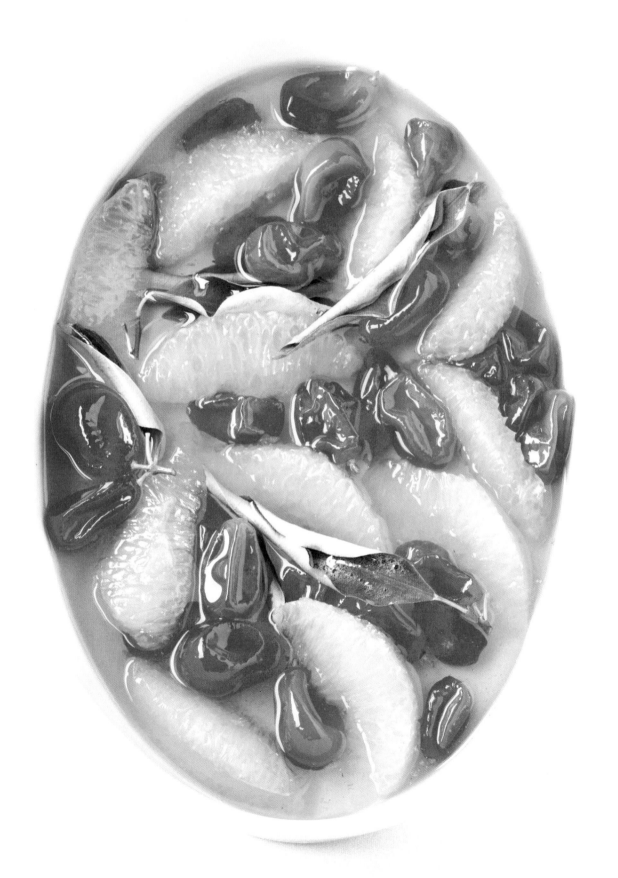

PASTÈQUE AU GINGEMBRE ET AU CITRON

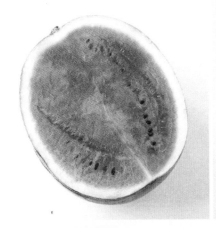

Pastèque
600 g

Sucre en morceaux
x 15

Citrons verts
x 3

Vin rosé
25 cl

Gingembre
50 g

Préparation : 10 min
Cuisson : 30 min
Réfrigération : 30 min

• Faites cuire à feu doux 30 min le **vin rosé** avec le **sucre**, le **gingembre** épluché et émincé et les **citrons verts** découpés en très fins morceaux.

• Laissez tiédir à température ambiante et refroidir 30 min au réfrigérateur.

• Retirez la peau de la **pastèque**, découpez la chair en cubes et dégustez avec le sirop.

COMPOTÉE DE PRUNEAUX

Pruneaux dénoyautés
250 g

Vermouth rouge
30 cl

Citrons
x 2 (bio de préférence)

Sucre en poudre
80 g

Vanille
2 gousses

Préparation : 5 min
Cuisson : 35 min

• Faites cuire le **vermouth** à feu doux pendant 35 min avec les **citrons** coupés en tranches très fines, le **sucre** et la **vanille** fendue et grattée.

• Stoppez le feu, ajoutez les **pruneaux** entiers. Laissez gonfler et refroidir à température ambiante.

• Dégustez avec une glace à la vanille.

FRAISES POIVRÉES AU VIN

Fraises
2 barquettes (2 x 250 g)

Sucre
15 morceaux

Vin rouge
1 bouteille de 75 cl

Menthe
1 botte + quelques feuilles

Poivre mignonnette
2 cuil. à café

Préparation : 15 min
Cuisson : 35 min
Réfrigération : 2 h
• Dégustez avec
une glace.

• Réunissez le **vin rouge**, le **poivre** et le **sucre** dans une casserole. Portez à ébullition puis baissez le feu et laissez confire 30 min à feu doux. Plongez la botte de **menthe** entière (avec les tiges) et laissez infuser et refroidir 2 h au réfrigérateur.

• Équeutez et découpez les **fraises** en morceaux. Dressez-les dans des coupes individuelles, nappez de sirop au vin, ajoutez des feuilles de **menthe**.

POIRES POCHÉES À LA LIQUEUR DE MÛRE

Mûres
2 barquettes (2 x 125 g)

Vin blanc
50 cl

Poires
x 4

Sucre en morceaux
x 10

Liqueur de mûre
10 cl

Préparation : 10 min
Cuisson : 45 min

• Épluchez les **poires** et faites-les cuire à feu doux 45 min dans une casserole avec le **vin blanc**, la **liqueur de mûre** et le **sucre**.

• Laissez refroidir et dressez dans un plat creux. Ajoutez les **mûres**.

• Dégustez avec de la glace à la vanille et des biscuits.

GASPACHO FRAISE-PASTÈQUE AU BASILIC

Fraises
400 g

Citrons
x 2

Basilic
12 feuilles

Sucre glace
3 cuil. à soupe

Pastèque
400 g

Préparation : 10 min
Cuisson : 10 min

• Dressez dans des assiettes creuses, ajoutez le reste des fraises et dégustez immédiatement.

• Coupez les **fraises** en morceaux et mélangez-les avec le **sucre** et le jus des **citrons**. Laissez macérer 10 min au frais. Retirez la peau de la **pastèque**, coupez la chair en cubes et réservez au frais.

• 5 min avant de déguster, mixez ¾ des **fraises**, les morceaux de **pastèque** et le **basilic** dans un blender.

SALADE D'ORANGES COCO-PASSION

Fruits de la Passion
x 3

Lait de coco
10 cl

Oranges
x 4 (grosses)

Menthe
10 feuilles

Préparation : 20 min
Cuisson : 1h

- Épluchez les **oranges** à vif et pressez les membranes restantes pour récupérer le jus.
- Mélangez la pulpe des **fruits de la Passion** avec le jus des **oranges** et le **lait de coco**. Réservez 1h au réfrigérateur.
- Au moment de déguster, répartissez le lait de coco dans des assiettes creuses, ajoutez les quartiers d'**oranges** et la **menthe**.

MELON À LA CRÈME ET FRAISES DES BOIS

Fraises des bois
1 barquette (125 g)

Mascarpone
120 g

Melons
x 2 (petits et bien mûrs)

Œufs
x 2

Citron vert
x 1 (bio)

Sucre glace
2 cuil. à soupe

Préparation : 15 min
Réfrigération : 20 min
• Placez 20 min au frais et dégustez.

• Séparez les blancs des jaunes d'**œufs**. Fouettez les jaunes avec 1 cuil. de **sucre glace** et ajoutez le **mascarpone**. Montez les blancs en neige bien ferme et incorporez-les dans la crème.
• Coupez les **melons** en 2, videz-les et garnissez-les avec la crème. Mélangez les **fraises** avec le reste du **sucre glace**, le jus et le zeste du **citron vert**. Déposez les fraises sur la crème.

SALADE D'AGRUMES, SIROP À LA MENTHE

Pamplemousses
x 3

Menthe
1 botte

Oranges
x 6

Sucre
15 morceaux

Vin rosé
30 cl

Préparation : 20 min
Cuisson : 30 min
Réfrigération : 1h

• Épluchez les **pamplemousses** et les **oranges** à vif, pressez les membranes pour récupérer le jus.

• Faites cuire le **vin rosé**, le jus des **agrumes** et le sucre 30 min à feu doux. Plongez la botte de **menthe** entière dans le sirop chaud. Laissez infuser et refroidir 1h au frais.

• Dressez les **agrumes** dans un plat creux, ajoutez le sirop et servez bien frais.

SALADE ANANAS-PASTÈQUE

Ananas
x 1 (gros)

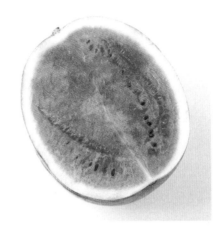

Pastèque
400 g

Coriandre
1 botte

Miel liquide
4 cuil. à soupe

👤👤👤👤

🕐

Préparation : 10 min
Réfrigération : 10 min
• Servez avec un sorbet au citron.

• Coupez l'**ananas** en 2, récupérez la chair et taillez-la en petits morceaux.

• Découpez la **pastèque** en petits cubes et mélangez-les avec l'**ananas**. Ajoutez le **miel**, mélangez et laissez macérer 10 min au frais.

• Placez les fruits dans les coques d'**ananas** et ajoutez la **coriandre** coupée.

MINESTRONE DE FRUITS SANS SUCRE

Kiwis
x 2

Mangues
x 2 (bien mûres)

Fruits de la Passion
x 3

Clémentines
x 6

Menthe
20 feuilles

Préparation : 15 min

• Épluchez les **mangues** et les **kiwis** et découpez-les en petits dés. Récupérez la pulpe des **fruits de la Passion**. Mélangez-la avec les **mangues** et les **kiwis**.

• Pressez les **clémentines** et ajoutez le jus aux fruits. Réservez au frais.

• Répartissez la soupe de fruits dans des assiettes creuses et ajoutez la **menthe** coupée.

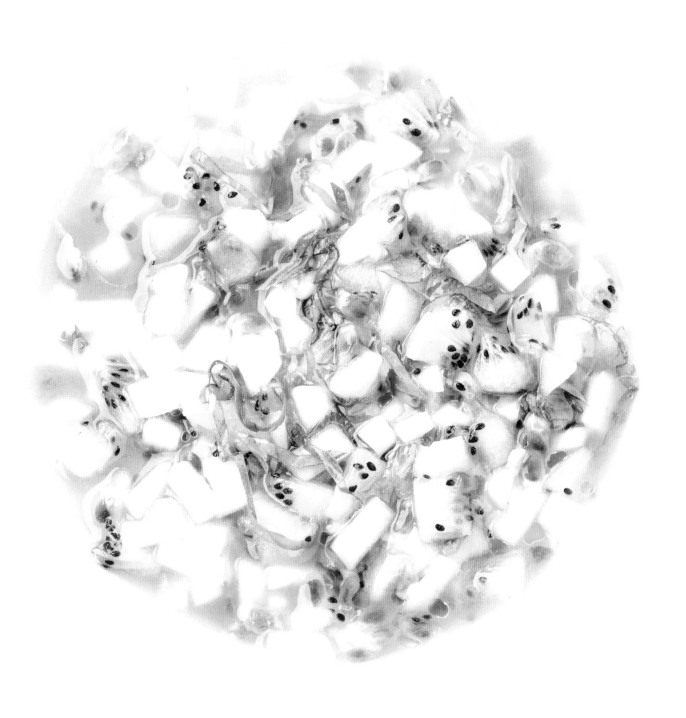

PASTÈQUE ET LITCHIS AU CHAMPAGNE

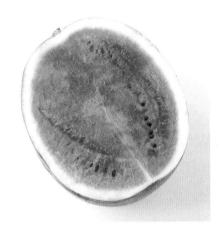

Pastèque
x ½ (ou 1 petite)

Litchis
x 20

Menthe
½ botte

Champagne rosé
½ bouteille

Préparation : 10 min

• Effeuillez et découpez la **menthe** aux ciseaux. Épluchez et coupez les **litchis** en 2. Évidez la **pastèque** et taillez la chair en morceaux.

• Mélangez les fruits avec la **menthe** et remettez l'ensemble dans la **pastèque**. Réservez au frais.

• Au moment de déguster, versez le **champagne rosé** dans la pastèque, laissez macérer 2 min et servez.

SALADE FRAMBOISES-MYRTILLES AU PORTO

Framboises
3 barquettes (3 x 125 g)

Myrtilles
3 barquettes (3 x 125 g)

Porto rouge
30 cl

Menthe
20 feuilles (grandes)

Sucre en morceaux
x 8

Cannelle
3 bâtons

Préparation : 10 min
Cuisson : 25 min
Réfrigération : 2 h

- Faites cuire le **porto**, le **sucre** et la **cannelle** 25 min à feu doux. Laissez tiédir à température ambiante puis mettez au frais 2 h.
- Coupez finement la **menthe** aux ciseaux.
- Au moment de déguster, répartissez les fruits dans des coupes individuelles, nappez de sirop au porto, parsemez de **menthe** et dégustez bien frais.

CARPACCIO DE FRAISES À L'ORANGE

Fraises
1 barquette (250 g)

Oranges à jus
x 4 (pour 30 cl de jus)

Sucre
10 morceaux

👤👤👤👤
🕐
Préparation : 10 min
Cuisson : 30 min

• Zestez et pressez les **oranges**. Mettez le jus, les zestes et les morceaux de **sucre** dans une casserole et faites cuire à feu doux 30 min pour obtenir un sirop. Laissez refroidir.

• Rincez, équeutez et émincez les **fraises**. Répartissez-les en rosace sur 4 assiettes et nappez de sirop à l'orange froid.

TARTE FRAÎCHEUR À L'ANIS

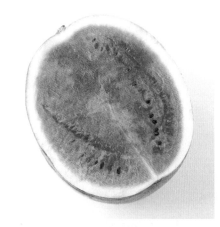

Pastèque
1 tranche (dans l'épaisseur)

Anisette
2 cuil. à soupe

Sucre glace
2 cuil. à soupe

Citrons
x 2 (bio de préférence)

Fruits rouges
250 g

Préparation : 10 min
Macération : 10 min

• Zestez et pressez les **citrons**.

• Mélangez les **fruits rouges**, le **sucre glace**, le jus des **citrons**, les zestes et l'**anisette**, et faites macérer 10 min au frais.

• Découpez en 4 la tranche de **pastèque**. Déposez-les dans des assiettes. Répartissez les **fruits rouges** sur les parts de **pastèque**. Arrosez du jus des fruits et dégustez.

CARPACCIO D'ANANAS AUX FRAMBOISES

Ananas
x 1

Eau de fleur d'oranger
5 cuil. à soupe

Framboises
1 barquette (125 g)

Sucre glace
2 cuil. à soupe

Huile d'olive
4 cuil à soupe

👥👥👥👥/👥👥
🧂 Sucre glace
🕐 Préparation : 15 min

• Épluchez et tranchez finement l'**ananas**. Déposez les tranches d'**ananas** en rosace sur un grand plat.

• Fouettez l'**huile d'olive**, le **sucre glace** et l'**eau de fleur d'oranger**. Ajoutez dans ce mélange les **framboises** écrasées. Mélangez et versez sur l'**ananas**. Dégustez frais.

ANANAS AU BEURRE DE VANILLE

Ananas Victoria
x 2

Beurre
50 g

Vanille
3 gousses

Sucre glace
2 cuil. à soupe

Rhum
4 cuil. à soupe

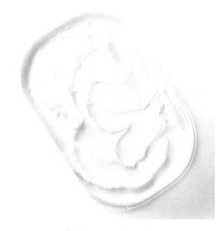

Glace à la noix de coco
4 boules

Préparation : 15 min
Cuisson : 20 min

• Épluchez et coupez les **ananas** en tranches fines. Fendez et grattez les gousses de **vanille** et mélangez les graines de **vanille** avec le **beurre**.

• Saupoudrez les tranches d'**ananas** de **sucre glace** et saisissez-les dans une poêle avec le **beurre** à la vanille. Laissez caraméliser 20 min.

• Ajoutez le **rhum** puis dressez dans des assiettes.

• Surmontez d'une boule de glace à la noix de coco et dégustez immédiatement.

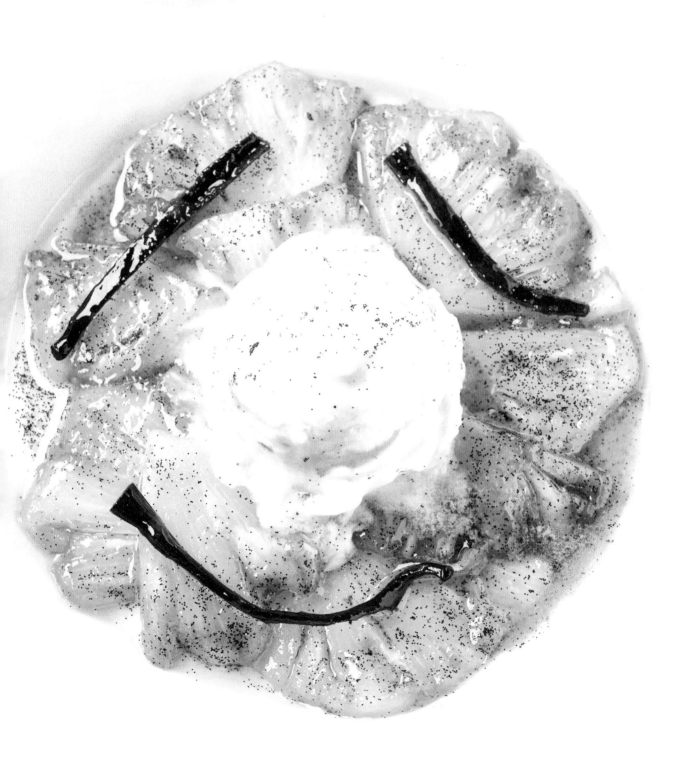

FRAISES CHANTILLY ET PISTACHES

Fraises
x 20

Crème fleurette
33 cl

Pistaches mondées
50 g

Mascarpone
50 g

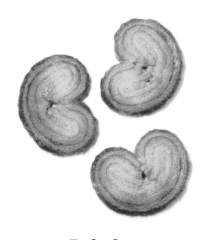

Palmiers
x 8

 Sucre glace

Préparation : 15 min
• Poudrez de sucre glace et dégustez.

• Mélangez la **crème** et le **mascarpone** bien frais. Fouettez l'ensemble en chantilly. Réservez au frais.

• Coupez les **fraises**. Concassez les **pistaches**.

• Répartissez la crème avec une poche ou une cuillère dans un grand plat. Plantez les **palmiers** dans la crème. Ajoutez les morceaux de **fraises** et les **pistaches**.

BÛCHE GLACÉE MANGUE ET FRAMBOISES

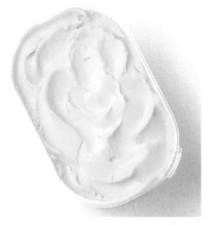

Sorbet à la mangue
300 g

Farine
80 g

Framboises
1 barquette (125 g)

Meringues
x 6 (petites)

Œufs
x 3

Sucre en poudre
100 g

 Sucre glace

⊘

Préparation : 15 min
Cuisson : 15 min
Congélation : 40 min
• Poudrez de sucre glace.

• Préchauffez le four à 150°C. Fouettez les **jaunes** avec le **sucre**, ajoutez la **farine**, montez les **blancs** et incorporez-les. Enfournez 15 min sur une plaque couverte de papier cuisson. Démoulez sur une feuille humide, roulez en serrant et laissez refroidir. Déroulez et étalez le **sorbet**, ajoutez les **framboises** et les **meringues** écrasées et roulez de nouveau. Réservez 40 min au congélateur.

SORBET AUX FRUITS MINUTE

Framboises
1 barquette (125 g)

Myrtilles
1 barquette (125 g)

Fraises
200 g

Oranges
x 3 (20 cl)

Banane
x 1 (grosse)

**Préparation : 10 min
Congélation : 12 h
+ 25 min**

• Décorez avec des fruits
frais et dégustez.

• La veille, épluchez et coupez la **banane** en morceaux et placez-la avec les **fruits rouges** au congélateur.

• 30 min avant de déguster, pressez les **oranges** et mettez l'ensemble des ingrédients surgelés avec le jus dans un blender et mixez-les en remuant avec une spatule.

• Placez le sorbet au congélateur entre 15 et 25 min.

PROFITEROLES FAITES À L'AVANCE

Chouquettes
x 8

Crème liquide
20 cl

Chocolat noir
200 g

Fraises
x 12

Glace à la vanille
8 boules

Préparation : 20 min
Cuisson : 5 min
Congélation : 30 min

• Râpez le **chocolat**. Versez la **crème** bouillante dessus en fouettant pour le faire fondre. Réservez au bain-marie. Coupez les **fraises** en morceaux.

• 30 min avant de déguster, garnissez les **chouquettes** avec la **glace à la vanille** et placez-les au congélateur.

• Au moment de déguster, ajoutez les **fraises**, nappez de chocolat chaud et servez.

GLACE AU SPÉCULOOS MINUTE

Pâte de spéculoos
6 cuil. à soupe

Myrtilles
1 barquette (125 g)

Spéculoos
x 8

Glace à la vanille
6 boules

Café expresso
x 2 (courts)

Préparation : 5 min
Congélation : 20 min

• 20 min avant de déguster, mixez dans un blender la **glace à la vanille** et la **pâte de spéculoos** en remuant et répartissez la préparation dans des coupelles.

• Ajoutez les **spéculoos** écrasés, mélangez légèrement et placez les coupelles 20 min au congélateur. Répartissez les **myrtilles** et les **cafés** froids ou chauds.

GLACE À LA MYRTILLE ET AU CASSIS

Myrtilles
250 g (surgelées)

Mascarpone
250 g

Crème de cassis
3 cuil. à soupe

Meringues
x 8 (petites)

Sucre glace
1 cuil à soupe

Préparation : 10 min

- Émiettez grossièrement les **meringues**.
- Mettez les **myrtilles** surgelées, le **sucre glace** et le **mascarpone** dans un blender et mixez en remuant avec une spatule.
- Mélangez la crème glacée avec les morceaux de **meringue** et la **crème de cassis**. Répartissez dans 4 verres ou verrines et dégustez immédiatement.

CRÈME GLACÉE MINUTE À LA FRAMBOISE

Framboises surgelées
300 g

Mascarpone
250 g

Framboises
200 g

Meringues
x 4 (petites)

Sucre glace
2 cuil. à soupe

Préparation : 10 min

• Mettez les **framboises** surgelées, le **sucre glace** et le **mascarpone** dans un blender et mixez en remuant avec une spatule.

• Mélangez la crème glacée avec les **framboises** fraîches. Répartissez dans 4 verres ou verrines. Déposez une **meringue** et dégustez immédiatement.

CHOCOLAT CAFÉ LIÉGEOIS

Macarons au chocolat
x 4

Mascarpone
50 g

Cacao en poudre
2 cuil. à soupe

Sucre glace
2 cuil. à café

Glace au café
4 boules

Crème fleurette
33 cl

👥👥👥👥

🧂 **cacao en poudre**

🕐
Préparation : 5 min

• 5 min avant de déguster, fouettez doucement la **crème** froide et le **mascarpone** ensemble dans un batteur en accélérant jusqu'à l'obtention d'une crème onctueuse et aérée. Ajoutez le **cacao** et le **sucre** et fouettez 5 s de plus.

• Répartissez la crème fouettée et les **macarons** en morceaux dans 4 verres. Surmontez d'une boule de glace au café et poudrez de **cacao**.

GRANITÉ MELON-FRAISE

Melon
x ½

Fraises
x 15

Sucre glace
2 cuil à soupe

Glaçons
x 26

Préparation : 5 min

• Coupez la chair du **melon** en cubes. Rincez, équeutez et coupez les **fraises** en morceaux.

• Mixez dans un blender le **melon**, les **fraises**, le **sucre glace** et les **glaçons**.

• Répartissez le granité dans des verres. Dégustez immédiatement avec des fruits frais (fraises, pommes, melon).

FAUX BABA GLACÉ

Ananas au sirop
4 tranches

Madeleines
x 4 (grosses) ou x 8 (petites)

Glace rhum-raisins
8 boules

Vieux rhum
10 cl

Préparation : 10 min
Réfrigération : 30 min
Marinade : 10 min

- Découpez l'**ananas** en petits dés et mettez-les à mariner dans la moitié du **rhum**.
- Écrasez grossièrement les **madeleines**.
- 30 min avant de déguster, mélangez la **glace rhum-raisins** avec les **madeleines** et les morceaux d'**ananas**. Dressez dans des verrines et placez-les 30 min au congélateur. Versez le reste du **rhum** et dégustez.

FAUX MACARON GLACÉ À LA FRAMBOISE

Framboises
x 20

Sucre glace
100 g

Sorbet à la framboise
4 boules

Poudre d'amandes
25 g

Blancs d'œufs
x 2

Sucre en poudre
25 g

Préparation : 10 min
Cuisson : 9 min
Repos : 45 min

• Montez les **blancs** en neige et incorporez la **poudre d'amandes** et les **sucres**.

• Déposez des tas de pâte sur une plaque. Laissez reposer 45 min à température ambiante. Préchauffez le four à 180°C. Enfournez 9 min et laissez refroidir.

• Mettez du **sorbet** et des **framboises** entre 2 macarons et servez.

BOULES COCO ET PISTACHE

Pistaches mondées
40 g

Noix de coco râpée
125 g

Lait concentré sucré
200 g

Préparation : 5 min
Réfrigération : 3 h

• Mélangez 100 g de **noix de coco râpée** avec le **lait concentré sucré**. Placez au réfrigérateur 3 h.

• Formez des truffes et enrobez-les pour la première moitié de **noix de coco râpée** et pour l'autre moitié de **pistaches** mondées et concassées.

COOKIES AUX FRUITS FRAIS

Framboises
x 12

Sucre en poudre
50 g

Myrtilles
x 24

Farine
100 g

Beurre mou
100 g

Sucre glace

⊘
Préparation : 10 min
Cuisson : 10 min

- Préchauffez le four à 180°C.
- Mélangez le **beurre mou** avec le **sucre** puis ajoutez la **farine** et malaxez du bout des doigts.
- Formez des petits disques de pâte sur une plaque recouverte de papier sulfurisé. Répartissez sur le dessus les **framboises** en morceaux et les **myrtilles**. Enfournez 10 min.
- Laissez refroidir, poudrez de **sucre glace**.

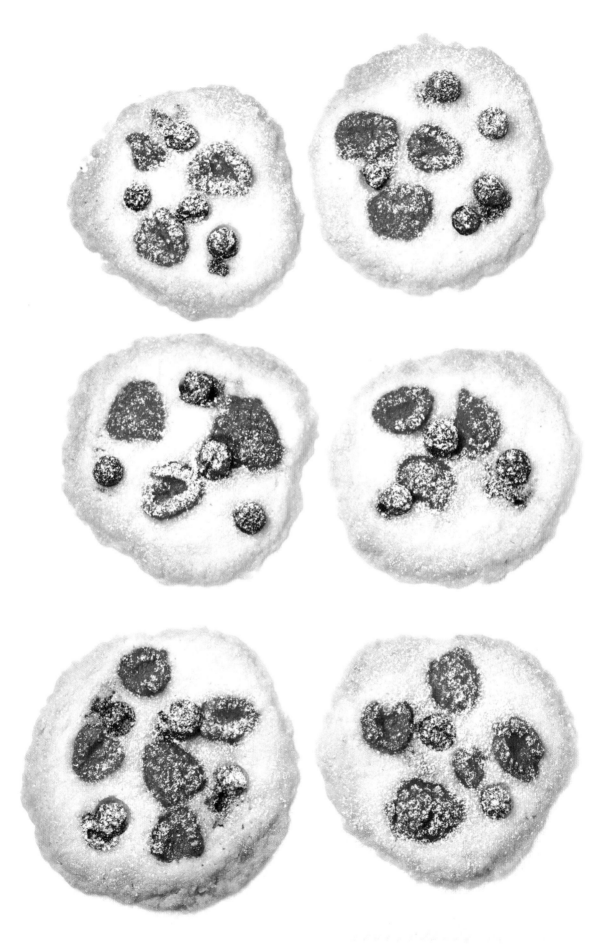

PALETS AU CHOCOLAT

Chocolat noir
160 g

Sucre en poudre
50 g

Beurre
25 g + 40 g

Farine
10 g

Praliné
25 g

Préparation : 10 min
Cuisson : 12 min
Réfrigération : 1 nuit
• Laissez prendre 1 nuit au frais et dégustez.

• Préchauffez le four à 180°C. Mélangez le **praliné**, la **farine** et le **sucre**, ajoutez 25 g de **beurre** fondu, puis étalez sur une plaque recouverte de papier cuisson. Enfournez 10 min. Laissez refroidir puis concassez le **praliné**.

• Faites fondre le **chocolat** avec 40 g de **beurre** et mélangez-le avec ¾ du **praliné**. Répartissez dans des moules souples. Saupoudrez de **praliné**.

SABLÉS PRALINES ROSES ET GROSEILLES

Pâte sablée
1 rouleau (ou 1 pâton)

Pralines roses
x 30

Groseilles
6 grappes

👤👤👤👤/👤👤

🧂 **Sucre glace**

🕐

Préparation : 15 min
Cuisson : 15 min
• Poudrez de sucre glace
et dégustez avec une glace.

• Préchauffez le four à 180°C. Concassez
les **pralines**.

• Découpez 8 disques de **pâte** à l'aide d'un verre
et disposez-les sur une plaque recouverte
de papier sulfurisé. Répartissez les **pralines**
sur les disques de **pâte** et enfournez 15 min.

• Laissez refroidir, répartissez les **groseilles**.

COOKIE GÉANT AUX FRUITS SECS

Farine
100 g

Mélange de fruits secs
120 g

Sucre en poudre
50 g

Œuf
x 1

Levure
1 sachet

Beurre mou
100 g

Préparation : 10 min
Cuisson : 15 min
• Dégustez avec
une glace Plombières.

• Préchauffez le four à 180°C.

• Mélangez le **beurre**, le **sucre** et l'**œuf** dans un saladier. Ajoutez la **farine** et la **levure** tamisées puis les **fruits secs**, mélangez de nouveau.

• Étalez la pâte sur une plaque recouverte de papier sulfurisé et enfournez 15 min. Laissez refroidir et cassez en morceaux.

ROULEAUX ORANGETTES-MENTHE

Galettes de riz
x 8 (moyennes)

Orangettes
x 16

Menthe
1 botte

Chouchous
40 g

Préparation : 10 min
• Dégustez avec un café ou une infusion.

• Effeuillez, lavez et séchez les feuilles de **menthe**. Concassez les **chouchous**.

• 5 min avant de déguster, trempez les **galettes** dans un saladier d'eau et disposez-les sur le plan de travail, le côté lisse vers le bas. Répartissez les ingrédients sur la partie supérieure des **galettes**, puis roulez en serrant bien.

• Coupez les rouleaux en 2.

MENDIANTS AU CHOCOLAT BLANC

Mélange de fruits secs
60 g

Chocolat blanc
160 g

Pistaches mondées
20 g

Préparation : 5 min
Cuisson : 5 min
Réfrigération : 2 h
• Dégustez avec une glace ou avec le café.

• Concassez les **pistaches**. Faites fondre le **chocolat blanc**.

• Disposez des petits disques de chocolat pas trop épais sur une plaque recouverte de papier cuisson. Répartissez les **fruits secs** et les **pistaches** sur les disques. Appuyez légèrement pour fixer la garniture sur le chocolat. Laissez prendre 2 h au frais.

FEUILLETÉS AU SUCRE

Pâte feuilletée ou brisée
200 g (rognures)

Sucre en poudre
2 cuil. à soupe

Préparation : 5 min
Cuisson : 15 min

• Préchauffez le four à 180°C.

• Taillez les rognures de **pâte** en bandes, disposez-les sur une plaque recouverte d'une feuille de papier cuisson.

• Saupoudrez de **sucre** puis torsadez du bout des doigts. Enfournez 15 min et dégustez chaud, tiède ou froid avec le café ou une glace.

BISCUITS CRUMBLE POMMES-CANNELLE

Pommes
x 4

Beurre
100 g

Sucre en poudre
70 g

Farine
100 g

Cannelle
1 cuil. à soupe

Préparation : 15 min
Cuisson : 15 min
• Dégustez chaud, tiède ou froid.

• Préchauffez le four à 180°C. Mélangez du bout des doigts le **beurre**, la **farine** et le **sucre**.
• Épluchez et coupez les **pommes** en lamelles.
• Formez des petits tas aplatis de pâte réguliers sur une plaque recouverte de papier sulfurisé. Répartissez les lamelles de **pommes**. Poudrez de **cannelle** et enfournez 15 min.

FEUILLETÉS CHOCOLAT-COCO

Pâte à tartiner
2 cuil. à soupe

Pâte feuilletée
1 rouleau (ou 1 pâton)

Noix de coco râpée
râpée 2 cuil. à soupe

Préparation : 5 min
Cuisson : 20 min
Congélation : 30 min
• Laissez refroidir et dégustez avec une glace à la noisette ou au chocolat.

• Étalez la **pâte feuilletée** sur du papier sulfurisé. Recouvrez-la de **pâte à tartiner**, saupoudrez-la de **noix de coco râpée** et roulez-la en serrant bien. Faites-la durcir 30 min au congélateur.

• Préchauffez le four à 180°C. Découpez la **pâte** en rondelles, disposez-les sur une plaque recouverte de papier cuisson et enfournez 20 min.

BOUCHÉES COCO À LA CERISE

Noix de coco râpée
180 g

Cerises griottes
x 12 (fraîches ou surgelées)

Sucre en poudre
120 g

Blancs d'œufs
x 2

Préparation : 15 min
Cuisson : 5 min

• Préchauffez le four à 210°C. Mélangez du bout des doigts les **blancs d'œufs** avec le **sucre** et la **noix de coco**.

• Formez 12 petites boules en plaçant une **griotte** au centre et disposez-les, en veillant à bien les espacer, sur une plaque recouverte de papier cuisson.

• Enfournez 5 min. Laissez refroidir et dégustez.

BISCUITS MOELLEUX CITRON VERT ET COCO

Farine
100 g

Citrons verts
x 3

Sucre en poudre
50 g

Beurre mou
100 g

Noix de coco râpée
4 cuil à soupe

 Sucre glace

Préparation : 10 min
Cuisson : 10 min
• Dégustez avec un sorbet au citron.

• Préchauffez le four à 180°C.

• Mélangez le **beurre mou** avec le **sucre** puis ajoutez la **farine** et malaxez l'ensemble du bout des doigts. Ajoutez les zestes râpés, les jus des **citrons verts** et la **noix de coco râpée**.

• Formez des petits tas réguliers sur une plaque recouverte de papier sulfurisé et enfournez 10 min.

• Laissez refroidir, poudrez de **sucre glace**.

TRUFFES AU CHOCOLAT

Chocolat noir
100 g

Beurre
50 g

Cacao en poudre
4 cuil. à soupe

Sucre en poudre
50 g

Jaune d'œuf
x 1

Crème liquide
2 cuil. à soupe

Pour 20 à 25 truffes

Préparation : 15 min
Cuisson : 5 min
Réfrigération : 1 h

• Faites fondre le **chocolat** avec le **beurre** et la **crème** au bain-marie ou au micro-ondes. Laissez tiédir, ajoutez le **sucre** et le **jaune d'œuf**, mélangez bien.

• Placez au réfrigérateur 1h. Formez des truffes et enrobez-les de **cacao en poudre**.

PALETS FONDANTS CHOCOLAT-CHÂTAIGNE

Chocolat noir
70 g

Crème de marrons
250 g

Beurre
60 g

Marrons glacés
x 3

👤👤👤👤/👤👤
🕐
Préparation : 10 min
Cuisson : 5 min
Réfrigération : 1 nuit

• Faites fondre le **chocolat** et le **beurre** au bain-marie ou au micro-ondes et mélangez-les avec la **crème de marrons**. Ajoutez les **marrons glacés** en petits morceaux.
• Versez le mélange dans des moules souples individuels. Laissez prendre 1 nuit au réfrigérateur.

SABLÉS CACAHUÈTES ET CACAO

Pâte sablée
1 rouleau (ou 1 pâton)

Chocolat au lait
16 carrés

Chouchous
40 g

 **Sucre glace**

 **cacao en poudre**

🕐
Préparation : 15 min
Cuisson : 15 min

• Préchauffez le four à 180°C.

• Découpez 8 disques de **pâte** et disposez-les sur une plaque recouverte de papier cuisson.

• Répartissez le **chocolat** en morceaux et la moitié des **chouchous** concassés sur les disques de pâte et enfournez 15 min.

• Laissez refroidir, ajoutez le reste des **chouchous**, poudrez de **sucre glace** et de **cacao**.

PALMIERS CARAMÉLISÉS À LA CANNELLE

Pâte feuilletée
x 1 (ou 1 pâton)

Sucre en poudre
2 cuil. à soupe

Cannelle
1 cuil. à soupe

Préparation : 5 min
Cuisson : 15 min
Réfrigération : 10 min
• Accompagne
parfaitement un café,
une glace ou une crème.

• Préchauffez le four à 180°C.

• Étalez la **pâte**. Saupoudrez-la de **sucre** et de **cannelle**. Roulez chaque bord vers le centre. Placez la pâte roulée 10 min au congélateur.

• Découpez la **pâte** roulée en tranches fines. Déposez les palmiers sur une plaque recouverte de papier cuisson. Enfournez 15 min.

• Dégustez tiède ou refroidi.

TABLE DES MATIÈRES

Introduction   2
Mode d'emploi   4

LES BASES
La pâte sucrée   6
La pâte sablée   8
La pâte feuilletée ultra facile   10
La "chantilly" à préparer à l'avance   12
Le lemon curd (crème au citron)   14

TARTES ET GROS GÂTEAUX
Tarte à l'orange sanguine   16
Tartelettes aux myrtilles   18
Tarte sablée à la cerise   20
Tartelettes abricots et amandes   22
Tarte mi-figue mi-raisin   24
Tarte pudding aux fruits rouges   26
Tartelettes poires-amarettis   28
Tarte moelleuse au chocolat   30
Tartelettes fines à la clémentine   32
Tartelettes citron-groseilles   34
Tarte aux pommes râpées   36
Tarte à la mirabelle   38
Palmiers vanille-framboise   40
Tatin de pommes au miel   42
Tarte aux fruits au sirop   44
Tarte tatin à la figue   46
Gâteau plat pommes-amandes   48
Feuilletés pommes-caramel   50
Tarte nectarines et crème d'amande   52
Tarte pommes, cassis et myrtilles   54
Tarte crumble aux cerises   56
Tarte renversée poires-amandes   58
Tarte au pamplemousse et à la menthe   60
Amandine croustillante à l'abricot   62
Tarte aux fruits rouges   64
Tarte au citron meringuée   66
Super gâteau au chocolat   68
Tarte aux fraises à la crème   70
Moelleux à la clémentine   72
Tarte cheesecake au citron vert   74
Tarte aux abricots et au romarin   76
Gâteau roulé aux fraises   78
Feuilleté roulé à la mûre   80
Gâteau à la mangue   82
Brownies au chocolat blanc   84
Tarte framboises et basilic   86

Charlotte aux fraises et aux litchis	**88**
Financiers aux framboises	**90**
Galette des rois à la pistache	**92**
Charlotte au chocolat	**94**
Baba au rhum	**96**
Cake au chocolat	**98**
Tarte à l'ananas frais	**100**
Le cheesecake nature	**102**
Cake au thé matcha	**104**

MOUSSES, CÈMES ET COMPAGNIE

Clafoutis aux poires	**106**
Nonnettes perdues	**108**
Gratin de cerises	**110**
Croustades à la pêche blanche	**112**
Clafoutis à la cerise et spéculoos	**114**
Crumble fraises, rhubarbe et coco	**116**
Clafoutis aux raisins et au cassis	**118**
Bananes au four	**120**
Clafoutis à la poire et au pain d'épice	**122**
Moelleux tiède chocolat-griottes	**124**
Abricots gratinés à la coco	**126**
Fruits de la Passion gratinés	**128**
Mousse au chocolat craquante	**130**
Mousse au chocolat et aux noisettes	**132**
Riz au lait au caramel	**134**
Mousse chocolat-passion	**136**
Mousse au chocolat et riz soufflé	**138**
Mousse choco-caramel aux fruits	**140**
Coulant au chocolat	**142**
Faux soufflés chocolat-café	**144**
Soufflés à la framboise	**146**
Soufflés cacao-noisette	**148**
Soufflés coco-citron	**150**
Tiramisu classique	**152**
Pots de crème à la vanille	**154**
Pots de crème au chocolat	**156**
Grande crème brûlée au pain d'épice	**158**
Îles flottantes mangue-coco	**160**
Crème renversée au caramel	**162**
Panna cotta passion-citron	**164**
Crème aux amarettis	**166**
Mont-blanc en verrine	**168**
Fraises chantilly citron	**170**
Panna cotta craquante et fondante	**172**
Tiramisu fraises des bois	**174**
Crème onctueuse au café	**176**

DESSERTS À BASE DE FRUITS

Rouleaux mangue et pistache	**178**
Nems abricots et dragées	**180**
Rouleaux choco-clémentine	**182**
Rouleaux choco-poire	**184**
Rouleaux de printemps à la fraise	**186**
Rouleaux à la framboise	**188**
Nage de pêches, passion-verveine	**190**
Kumquats confits et pamplemousse	**192**
Pastèque au gingembre et au citron	**194**
Compotée de pruneaux	**196**
Fraises poivrées au vin	**198**
Poires pochées à la liqueur de mûre	**200**
Gaspacho fraise-pastèque au basilic	**202**
Salade d'oranges coco-passion	**204**
Melon à la crème et fraises des bois	**206**
Salade d'agrumes, sirop à la menthe	**208**
Salade ananas-pastèque	**210**
Minestrone de fruits sans sucre	**212**
Pastèque et litchis au champagne	**214**
Salade framboises-myrtilles au porto	**216**
Carpaccio de fraises à l'orange	**218**
Tarte fraîcheur à l'anis	**220**
Carpaccio d'ananas aux framboises	**222**
Ananas au beurre de vanille	**224**
Fraises chantilly et pistaches	**226**

DESSERTS GLACÉS

Bûche glacée mangue et framboises	**228**
Sorbet aux fruits minute	**230**
Profiteroles faites à l'avance	**232**
Glace au spéculoos minute	**234**
Glace à la myrtille et au cassis	**236**
Crème glacée minute à la framboise	**238**
Chocolat café liégeois	**240**
Granité melon-fraise	**242**
Faux baba glacé	**244**
Faux macaron glacé à la framboise	**246**

BISCUITS ET MIGNARDISES

Boules coco et pistache	**248**
Cookies aux fruits frais	**250**
Palets au chocolat	**252**
Sablés pralines roses et groseilles	**254**
Cookie géant aux fruits secs	**256**
Rouleaux orangettes-menthe	**258**
Mendiants au chocolat blanc	**260**
Feuilletés au sucre	**262**
Biscuits crumble pommes-cannelle	**264**
Feuilletés chocolat-coco	**266**
Bouchées coco à la cerise	**268**
Biscuits moelleux citron vert et coco	**270**
Truffes au chocolat	**272**
Palets fondants chocolat-châtaigne	**274**
Sablés cacahuètes et cacao	**276**
Palmiers caramélisés à la cannelle	**278**

INDEX
DES RECETTES
PAR INGRÉDIENT
PRINCIPAL

A

ABRICOT

Tartelettes abricots et amandes   22
Amandine croustillante à l'abricot   62
Tarte aux abricots et au romarin   76
Abricots gratinés à la coco   126
Nems abricots et dragées   180

ALCOOL DE MIRABELLE

Tarte à la mirabelle   38

AMANDE EFFILÉE

Tarte nectarines et crème d'amande   52
Tarte renversée poires-amandes   58
Croustades à la pêche blanche   112

AMARETTI

Tartelettes poires-amarettis   28
Faux soufflés chocolat-café   144
Crème aux amarettis   166

ANANAS

Tarte à l'ananas frais   100
Salade ananas-pastèque   210
Carpaccio d'ananas aux framboises   222
Ananas au beurre de vanille   224
Faux baba glacé   44

ANISETTE

Tarte fraîcheur à l'anis   220

BANANE

Bananes au four   120
Sorbet aux fruits minute   230

BASILIC

Tarte framboises et basilic   86
Rouleaux choco-poire   184
Rouleaux de printemps à la fraise   186
Gaspacho fraise-pastèque au basilic   202

BISCUIT À LA CUILLÈRE

Charlotte aux fraises et aux litchis   88
Charlotte au chocolat   94
Tiramisu classique   152

BISCUIT AU CHOCOLAT EN BÂTONNET
Rouleaux choco-poire — 184

BONBON CARAMEL AU BEURRE SALÉ
Feuilletés pommes-caramel — 50

CACAO
Coulant au chocolat — 142
Faux soufflés chocolat-café — 144
Tiramisu classique — 152
Chocolat café liégeois — 240
Truffes au chocolat — 272

CAFÉ EXPRESSO
Tiramisu classique — 152
Glace au spéculoos minute — 234

CAFÉ INSTANTANÉ EN POUDRE
Crème onctueuse au café — 176

CANNELLE
Salade framboises-myrtilles au porto — 216
Biscuits crumble pommes-cannelle — 264
Palmiers caramélisés à la cannelle — 278

CERISE GRIOTTE
Tarte sablée à la cerise — 20
Tarte crumble aux cerises — 56
Gratin de cerises — 110
Clafoutis à la cerise et spéculoos — 114

CHAMPAGNE ROSÉ
Pastèque et litchis au champagne — 214

CHOCOLAT AU LAIT
Sablés cacahuètes et cacao — 276

CHOCOLAT AU LAIT AU RIZ SOUFFLÉ
Mousse au chocolat et riz soufflé — 138

CHOCOLAT BLANC
Brownies au chocolat blanc — 84
Mendiants au chocolat blanc — 260

CHOCOLAT NOIR
Tarte moelleuse au chocolat — 30
Super gâteau au chocolat — 68
Charlotte au chocolat — 94
Cake au chocolat — 98
Moelleux tiède chocolat-griottes — 124
Mousse au chocolat craquante — 130
Mousse au chocolat et aux noisettes — 132
Mousse chocolat-passion — 136
Mousse choco-caramel aux fruits — 140
Coulant au chocolat — 142
Faux soufflés chocolat-café — 144
Pots de crème au chocolat — 156
Profiteroles faites à l'avance — 232
Palets au chocolat — 252
Truffes au chocolat — 272
Palets fondants chocolat-châtaigne — 274

CHOUCHOU (CACAHUÈTE ENROBÉE DE CARAMEL)
Mousse au chocolat craquante — 130
Rouleaux orangettes-menthe — 258
Sablés cacahuètes et cacao — 276

CHOUQUETTE
Profiteroles faites à l'avance — 232

CITRON
Lemon curd — 14
Tarte aux fruits rouges — 64
Compotée de pruneaux — 196
Gaspacho fraise-pastèque au basilic — 202
Tarte fraîcheur à l'anis — 220

CITRON VERT
Tarte cheesecake au citron vert — 74
Mousse au chocolat et riz soufflé — 138
Panna cotta passion-citron — 164
Pastèque au gingembre et au citron — 194
Melon à la crème et fraises des bois — 206
Biscuits moelleux citron vert et coco — 270

CLÉMENTINE
Tartelettes fines à la clémentine — 32
Moelleux à la clémentine — 72
Rouleaux choco-clémentine — 182
Minestrone de fruits sans sucre — 212

CONFITURE DE CASSIS
Tarte pommes, cassis et myrtilles — 54

CONFITURE DE CERISES
Tarte sablée à la cerise — 20

CONFITURE DE FRAISES
Gâteau roulé aux fraises — 78

CONFITURE DE MÛRES
Feuilleté roulé à la mûre — 80

CORIANDRE
Salade ananas-pastèque — 210

COULIS DE CARAMEL AU BEURRE SALÉ
Riz au lait au caramel — 134
Mousse choco-caramel aux fruits — 140

COULIS DE FRAMBOISES
Soufflés à la framboise — 146

COULIS DE MANGUES
Îles flottantes mangue-coco — 160

CRÈME DE CASSIS
Clafoutis aux raisins et au cassis — 118
Glace à la myrtille et au cassis — 236

CRÈME DE MARRONS
Mont-blanc en verrine — 168
Palets fondants chocolat-châtaigne — 274

CRÊPE DENTELLE
Panna cotta craquante et fondante — 172
Rouleaux à la framboise — 188

DRAGÉE
Tartelettes abricots et amandes — 22
Gâteau plat pommes-amandes — 48
Nems abricots et dragées — 180

EAU DE FLEUR D'ORANGER
Charlotte au chocolat — 94
Carpaccio d'ananas aux framboises — 222

ESTRAGON

Tarte aux fraises à la crème 70
Rouleaux choco-clémentine 182

FEUILLE DE BRICK

Amandine croustillante à l'abricot 62
Rouleaux mangue et pistache 178
Nems abricots et dragées 180

FIGUE

Tarte mi-figue mi-raisin 24
Tarte tatin à la figue 46

FRAISE

Tarte aux fraises à la crème 70
Gâteau roulé aux fraises 78
Charlotte aux fraises et aux litchis 88
Crumble fraises, rhubarbe et coco 116
Fraises chantilly citron 170
Rouleaux de printemps à la fraise 186
Fraises poivrées au vin 198
Gaspacho fraise-pastèque au basilic 202
Carpaccio de fraises à l'orange 218
Fraises chantilly et pistaches 226
Sorbet aux fruits minute 230
Profiteroles faites à l'avance 232
Granité melon-fraise 242

FRAISE DES BOIS

Tiramisu fraises des bois 174
Melon à la crème et fraises des bois 206

FRAMBOISE

Palmiers vanille framboise 40
Tarte framboises et basilic 86
Financiers aux framboises 90
Soufflés à la framboise 146
Crème aux amarettis 166
Rouleaux à la framboise 188
Salade framboises-myrtilles au porto 216
Carpaccio d'ananas aux framboises 222
Bûche glacée mangue et framboises 228
Sorbet aux fruits minute 230
Crème glacée minute à la framboise 238
Faux macaron glacé à la framboise 246
Cookies aux fruits frais 250

FRUIT DE LA PASSION

Fruits de la Passion gratinés 128
Mousse chocolat-passion 136
Panna cotta passion-citron 164
Nage de pêches, passion-verveine 190
Salade d'oranges coco-passion 204
Minestrone de fruits sans sucre 212

FRUITS AU SIROP

Tarte aux fruits au sirop 44

FRUITS ROUGES

Tarte pudding aux fruits rouges 26
Tarte aux fruits rouges 64
Mousse choco-caramel aux fruits 140
Tarte fraîcheur à l'anis 220

FRUITS SECS

Brownies au chocolat blanc 84
Cookie géant aux fruits secs 256
Mendiants au chocolat blanc 260

GALETTE BRETONNE

Tarte aux abricots et au romarin 76

GALETTE DE RIZ

Rouleaux choco-clémentine 182
Rouleaux choco-poire 184
Rouleaux de printemps à la fraise 186
Rouleaux à la framboise 188
Rouleaux orangettes-menthe 258

GAVOTTE AU CHOCOLAT

Mousse au chocolat craquante 130
Rouleaux choco-clémentine 182

GINGEMBRE

Pastèque au gingembre et au citron 194

GLACE À LA NOIX DE COCO

Ananas au beurre de vanille 224

GLACE À LA VANILLE

Profiteroles faites à l'avance 232
Glace au spéculoos minute 234

GLACE AU CAFÉ

Faux soufflés chocolat-café 144
Chocolat café liégeois 240

GLACE RHUM-RAISINS

Faux baba glacé 244

GLAÇON

Granité melon-fraise 242

GRIOTTE

Moelleux tiède chocolat-griottes 124
Bouchées coco à la cerise 268

GROSEILLE

Tartelettes citron-groseilles 34
Sablés pralines roses et groseilles 254

KIWI

Minestrone de fruits sans sucre 212

KUMQUAT

Kumquats confits et pamplemousse 192

LAIT CONCENTRÉ SUCRÉ

Boules coco et pistache 248

LAIT DE COCO

Abricots gratinés à la coco 126
Îles flottantes mangue-coco 160
Salade d'oranges coco-passion 204

LEMON CURD (CRÈME AU CITRON)

Tartelettes fines à la clémentine 32
Tartelettes citron-groseilles 34
Tarte au citron meringuée 66
Tarte framboises et basilic 86
Soufflés coco-citron 150
Fraises chantilly citron 170

LIQUEUR DE FRAISE

Tiramisu fraises des bois 174

LIQUEUR DE LITCHI

Charlotte aux fraises et aux litchis 88

LIQUEUR DE MÛRE

Poires pochées à la liqueur de mûre 200

LITCHI

Charlotte aux fraises et aux litchis 88
Pastèque et litchis au champagne 214

MACARON AU CAFÉ

Crème onctueuse au café   **176**

MACARON AU CHOCOLAT

Chocolat café liégeois   **240**

MADELEINE

Faux baba glacé   **244**

MANGUE

Gâteau à la mangue   **82**
Rouleaux mangue et pistache   **178**
Minestrone de fruits sans sucre   **212**

MARMELADE D'ORANGES

Tarte à l'orange sanguine   **16**
Rouleaux choco-poire   **184**

MARRON GLACÉ

Mont-blanc en verrine   **168**
Palets fondants chocolat-châtaigne   **274**

MELON

Melon à la crème et fraises des bois   **206**
Granité melon-fraise   **242**

MENTHE

Palmiers vanille-framboise   **40**
Tarte au pamplemousse et à la menthe   **60**
Rouleaux de printemps à la fraise   **186**
Rouleaux à la framboise   **188**
Fraises poivrées au vin   **198**
Salade d'oranges coco-passion   **204**
Salade d'agrumes, sirop à la menthe   **208**
Minestrone de fruits sans sucre   **212**
Pastèque et litchis au champagne   **214**
Salade framboises-myrtilles au porto   **216**
Rouleaux orangettes-menthe   **258**

MERINGUE

Tarte au citron meringuée   **66**
Mousse au chocolat et riz soufflé   **138**
Mont-blanc en verrine   **168**
Rouleaux de printemps à la fraise   **186**
Bûche glacée mangue et framboises   **228**
Glace à la myrtille et au cassis   **236**
Crème glacée minute à la framboise   **238**

MIEL

Tartelettes poires-amarettis   **28**
Tatin de pommes au miel   **42**
Rouleaux mangue et pistache   **178**
Nage de pêches, passion-verveine   **190**
Salade ananas-pastèque   **210**

MIRABELLE

Tarte à la mirabelle   **38**

MÛRE

Feuilleté roulé à la mûre   **80**
Poires pochées à la liqueur de mûre   **200**

MYRTILLE

Tartelettes aux myrtilles   **18**
Tarte pommes, cassis et myrtilles   **54**
Salade framboises-myrtilles au porto   **216**
Sorbet aux fruits minute   **230**
Glace au spéculoos minute   **234**
Glace à la myrtille et au cassis   **236**
Cookies aux fruits frais   **250**

NECTARINE

Tarte nectarines et crème d'amande   **52**

NOISETTE

Mousse au chocolat et aux noisettes   **132**

NOIX DE COCO

Crumble fraises, rhubarbe et coco   **116**
Abricots gratinés à la coco   **126**
Fruits de la Passion gratinés   **128**
Soufflés coco-citron   **150**
Îles flottantes mangue-coco   **160**
Boules coco et pistache   **248**
Feuilletés chocolat-coco   **266**
Bouchées coco à la cerise   **268**
Biscuits moelleux citron vert et coco   **270**

NONNETTE

Nonnettes perdues   **108**

ORANGE

Rouleaux à la framboise   **188**
Salade d'oranges coco-passion   **204**
Salade d'agrumes, sirop à la menthe   **208**
Carpaccio de fraises à l'orange   **218**
Sorbet aux fruits minute   **230**

ORANGE SANGUINE

Tarte à l'orange sanguine   **16**

ORANGETTE

Rouleaux orangettes-menthe   **258**

PAIN D'ÉPICE

Clafoutis à la poire et au pain d'épice   **122**
Grande crème brûlée au pain d'épice   **158**

PALET BRETON

Tarte au citron meringuée   **66**

PALMIER

Palmiers vanille-framboise   **40**
Fraises chantilly et pistaches   **226**

PAMPLEMOUSSE ROSE

Tarte au pamplemousse et à la menthe   **60**
Kumquats confits et pamplemousse   **192**
Salade d'agrumes, sirop à la menthe   **208**

PASTÈQUE

Pastèque au gingembre et au citron   **194**
Gaspacho fraise-pastèque au basilic   **202**
Salade ananas-pastèque   **210**
Pastèque et litchis au champagne   **214**
Tarte fraîcheur à l'anis   **220**

PÂTE À LA PISTACHE

Galette des rois à la pistache   **92**

PÂTE À TARTINER

Soufflés cacao-noisette   **148**
Feuilletés chocolat-coco   **266**

PÊCHE

Croustades à la pêche blanche   **112**
Nage de pêches, passion-verveine   **190**

PETIT-BEURRE

Tarte mi-figue mi-raisin   **24**
Tarte au pamplemousse et à la menthe   **60**

PISTACHE MONDÉE

Rouleaux mangue et pistache   **178**
Fraises chantilly et pistaches   **226**
Boules coco et pistache   **248**
Mendiants au chocolat blanc   **260**

POIRE

Tartelettes poires-amarettis	**28**
Tarte renversée poires-amandes	**58**
Clafoutis aux poires	**106**
Clafoutis à la poire et au pain d'épice	**122**
Rouleaux choco-poire	**184**
Poires pochées à la liqueur de mûre	**200**

POIVRE MIGNONNETTE

Fraises poivrées au vin	**198**

POMME

Tarte aux pommes râpées	**36**
Tatin de pommes au miel	**42**
Gâteau plat pommes-amandes	**48**
Feuilletés pommes-caramel	**50**
Tarte pommes, cassis et myrtilles	**54**
Feuilleté roulé à la mûre	**80**
Biscuits crumble pommes-cannelle	**264**

PORTO ROUGE

Salade framboises-myrtilles au porto	**216**

POUDRE D'AMANDES

Tarte pudding aux fruits rouges	**26**
Gâteau plat pommes-amandes	**48**
Amandine croustillante à l'abricot	**62**
Financiers aux framboises	**90**
Galette des rois à la pistache	**92**
Clafoutis aux poires	**106**
Faux macaron glacé à la framboise	**246**

PRALINÉ

Palets au chocolat	**252**

PRALINE ROSE

Sablés pralines roses et groseilles	**254**

PRUNEAU

Compotée de pruneaux	**196**

RAISIN

Clafoutis aux raisins et au cassis	**118**

RAISIN SEC

Tarte mi-figue mi-raisin	**24**

RHUBARBE

Crumble fraises, rhubarbe et coco	**116**

RHUM

Tarte mi-figue mi-raisin	**24**
Baba au rhum	**96**
Bananes au four	**120**
Ananas au beurre de vanille	**224**
Faux baba glacé	**244**

RIZ

Riz au lait au caramel	**134**

ROMARIN

Tarte aux abricots et au romarin	**76**
Nems abricots et dragées	**180**

SABLÉ AU CHOCOLAT

Tarte moelleuse au chocolat	**30**

SABLÉ BRETON

Tartelettes poires-amarettis	**28**
Tarte aux fruits rouges	**64**

SIROP D'ÉRABLE

Croustades à la pêche blanche	**112**
Mousse au chocolat et aux noisettes	**132**

SIROP DE GRENADINE

Tarte tatin à la figue	**46**

SORBET À LA FRAMBOISE

Faux macaron glacé à la framboise	**246**

SORBET À LA MANGUE

Bûche glacée mangue et framboises	**228**

SPÉCULOOS

Tartelettes aux myrtilles	**18**
Tartelettes citron-groseilles	**34**
Tarte à la mirabelle	**38**
Tarte pommes, cassis et myrtilles	**54**
Tarte aux fraises à la crème	**70**
Tarte cheesecake au citron vert	**74**
Tarte framboises et basilic	**86**
Tarte à l'ananas frais	**100**
Le cheesecake nature	**102**
Clafoutis à la cerise et spéculoos	**114**
Glace au spéculoos minute	**234**

THÉ MATCHA

Cake au thé matcha	**104**

VANILLE

Palmiers vanille-framboise	**40**
Riz au lait au caramel	**134**
Pots de crème à la vanille	**154**
Crème renversée au caramel	**162**
Panna cotta craquante et fondante	**172**
Compotée de pruneaux	**196**
Ananas au beurre de vanille	**224**

VERMOUTH BLANC

Crème aux amarettis	**166**
Kumquats confits et pamplemousse	**192**

VERMOUTH ROUGE

Compotée de pruneaux	**196**

VERVEINE

Nage de pêches, passion-verveine	**190**

VIN BLANC

Poires pochées à la liqueur de mûre	**200**

VIN ROSÉ

Pastèque au gingembre et au citron	**194**
Salade d'agrumes, sirop à la menthe	**208**

VIN ROUGE

Fraises poivrées au vin	**198**

SIMPLISSIME

LA COLLECTION DE LIVRES DE CUISINE QUI VA CHANGER VOTRE VIE

ET AUSSI L'APPLI...

AVEC VOUS PARTOUT, VOS RECETTES ET LISTES D'INGRÉDIENTS !

Pour Androïd et IOS

Je tiens particulièrement à remercier Sandrine
qui m'a aidé à mettre au point et à réaliser
la plupart des recettes de ce livre.
Et aussi Jeanne et Paula qui sont devenues
les goûteuses officielles du « simplissime desserts ».

© 2016, Hachette Livre (Hachette Pratique).
58, rue Jean Bleuzen – 92178 Vanves Cedex

Pour l'éditeur, le principe est d'utiliser des papiers composés de fibres naturelles,
renouvelables, recyclables et fabriqués à partir de bois issus de forêts
qui adoptent un système d'aménagement durable. En outre, l'éditeur attend
de ses fournisseurs de papier qu'ils s'inscrivent dans une démarche de certification
environnementale reconnue.

Direction : Catherine Saunier-Talec
Responsable artistique : Antoine Béon
Responsable éditoriale : Céline Le Lamer

Conception graphique et mise en pages : Marie-Paule Jaulme
Fabrication : Amélie Latsch
Responsable partenariats : Sophie Morier (smorier@hachette-livre.fr)

Dépôt légal : août 2016
7132778/05
ISBN : 9782011356437
Imprimé en Espagne par Estella en novembre 2020
www.hachette-pratique.com

3,49 kg q. CO_2
Rendez-vous sur
PAPIER À BASE DE
FIBRES CERTIFIÉES   www.hachette-durable.fr